アラビア湾の架け橋となった日本人

# リンケージ外交戦術

中村 公也

ごま書房新社

リンケージ（ＬＩＮＫＡＧＥ）とは、繋がり。
一方の利益を他方の利益に連関させる「外交戦術」

二〇一七年六月以降、当事国が国交断絶中であることを勘案し、本文の歴史的事実以外は国名や人名などを仮名とした。

# はじめに

私が本書で利権契約交渉の経緯を書いたのは、成功体験を自慢したり、単に自叙伝を残そうと考えたからではない。

アラブ諸国とそこに住む人々に関する日本国内の報道内容が、私が実際に接した人々の言動や考えを伝えていないと感じたことが動機であった。

報道機関は、公平・中立な立場でニュースを配信していると反論すると思うが、中東全域を対象に直接取材することは現実的に困難だと思う。

多くの日本人は中東のあちこちで紛争が続いていることを知っていても、日本から遠く離れていて、関心に乏しく影響を感じないのではないだろうか。

世の中の大多数の人たちは、自分がしている仕事の意義がわかるまでずいぶんと時間がかかるのではないだろうか。

私はまさにそうだった。

国の機関による投・融資事業で、平和的に石油資源を確保するとの理念に基づいて設立された会社に入社した時には、石油について何も知らず、後にアラビア湾の原油を生産する現場に赴任した時も、仕事の意義には考えが及ばなかった。

私が働き始めたのは第二次オイルショック直後で、すでに産油国の立場は強くなっていた。石油開発会社は一般的に技術者優位、重要事項は技術者の提言によって意思決定する。だが、油田の所有者である産油国が認めなければ、素晴らしい計画もただの画餅だ。技術者たちは、自社と株主さらには権益を持つ関係者の負託を受けて、産油国の技術者と論戦に臨み、自らのプライドをかけて計画を通すことに全力を尽くす。

私はその姿を見て、会社の設立理念や仕事の意義が理解できるようになった。

二十世紀は石油の世紀といわれる。石油資源を巡って多くの争いが起きた。わが国もしかり。中東は今も紛争が続いているが、石油資源の存在が事態を複雑化させている。

事務系の私の仕事は、技術者とともに、産油国の人々に対して原油の生産操業に関する報告を行い、協議することだった。

利害の対立はあっても紛争には無縁のはずが、イラン・イラク戦争や湾岸戦争によって公私とも多大な影響を受けて、中東での石油開発事業は国家間の紛争に巻き込まれることを実感した。

勤務した会社は現地での操業と生産が順調だったにも関わらず、日本では為替変動と油価下落によって会社の財務状況が悪化し、民事再生法の適用を受けて完全に民営化された。

今ではわが国の原油需要は減り、買いたい時にいつでも買える商品と言われ、石油開発は民間企業が自らリスクを取って行う普通の事業になりつつある。それでも紛争や政治状況によって油価は乱高下を繰り返しており、石油が持つ戦略物資の側面は変わっていない。

産油国におけるカントリーリスク、石油開発事業が持つ不確実性によるリスクを承知で、会社を清算せずに事業を継続したのは、簡単に獲得できない石油利権を手放さないことが理由だった。

大切な石油利権契約の更新に向けた交渉をしているさなか、当事国同士が国交断絶してしまい、一時は途方に暮れたが、産油国の友人たち、ともに交渉した仲間たちに支えられて契約失効間際に更新することができた。

どの紛争も夫々起きた原因があるが、敵の敵は味方とばかり、情勢の変化と複雑化が一層分かり難くしている。紛争を起こしているのはアラブ人、アラブ人はイスラム教徒、イスラム教徒はテロを引き起こしていると短絡的で間違った理解をしている人すら存在する。

私の考えでは、中東地域の紛争は宗教や人種の違いだけに起因するのではなく、石油資源を巡る産油国と欧米諸国の歴史的関係と莫大な石油収入の行方について理解しなければ説明がつかないと思っている。

私が日本のメディアが配信する報道内容に違和感を感じたのは、利害関係の一方の当事者である欧米諸国寄りの都合の良い報道に偏っており、もう一方の当事者である中東諸国や産油国が取る行動について、理解を促す報道はほとんど見かけなかったことであった。

だが、ここで、私は報道機関を非難するつもりはまったくない。

私は社会人生活のほとんどを過ごした産油国で多くの人々に世話になった。その感謝の気持ちを込めて、私が経験した産油国の人々との交流をノンフィクションで書くことで、アラブの友人たちのありのままの姿を伝えたいと考えたのだ。

この本によって中東諸国の文化や人たちを理解することに少しでも役立ち、中東でビジネスに関わる人たちの参考になれば幸いである。

中村公也

令和元年十一月吉日

リンケージ 外交戦術◆目次

はじめに 5

## 第一章 国交断絶 13

到着／石油利権契約更新交渉／田中清玄／国交断絶／更新二か月前／安息日／決裁権限者／回想／あと二週間／報告／逸る心／兄弟／小作人／最終確認

## 第二章 シガリ 77

洋上勤務初日／洗礼／事務系一人／監獄／多国籍労働者／常識・非常識／鉄則／企業文化創生／シガリ／戦場／禁固刑

## 第三章　石油と世界経済　113

石油とは／探鉱／開発／石油銀座／契約形態／生産設備／八十三パーセント／巨人たち／中東石油開発史／義理と人情／油価決定／オイルメジャー／上流・下流／反撃

## 第四章　素晴らしき仲間たち　157

噂／アル中社員／ポルシェ／将を射んとすれば／仲間入り／御学友／名刺不要／見栄っ張り／ドタキャン／人脈形成術／ご招待／食生活／結婚式／葬儀／一夫多妻／優しい夫／ラマダン／ドバイ／オマーン／対決／カショギ事件／王族／チンピラ／招致

## 第五章　アラビア湾の朝日　223

あと七日／三者会議／問題発生／緊急会議／説得／全てが／要求／あと二日／進出企業／横槍／更新契約発効／繋ぐ――ＬＩＮＫＡＧＥ

## おわりに　283

# 第一章
# 国交断絶

## 到着

機内の窓から人工島ルル・アイランド（ルルはアラビア語で真珠の意味）が見えてきた。

私を乗せた航空機は、まもなく中東湾岸諸国のひとつ、ＱＡの首都ＤＯＨ市に着く。二〇一八年二月十二日、建国記念日の振替休日となったこの日の夜十時、ＱＡ航空八〇七便は定刻より十分早く成田空港を離陸した。

やがて尾翼に国旗と同じヴァーガンディ（暗い紫色）のアラビアオリックス（角鹿・カモシカの仲間）が描かれた機体は順調に飛行し、翌朝、日の出前の四時三十分にＤＯＨ市のＨＭＤ国際空港に滑るように着陸した。ちなみに、オリックスのことをアラビア語でダビという。そう、隣国のＡＥ連邦の首都ＡＵＨ市とは、アラビア語で「角鹿の父親」という意味だ。

青白い雲と雲の合間は紫色に光り、美しい中東の夜明けだ。

だが、何もなかったように美しいのは空だけであった。なぜなら、この時すでにＱＡとＡＥ連邦は国交を断絶しており、それによってアラビア湾岸諸国は明らかに分断され、一触即発の状況で激しく緊張していたからである。ＱＡ航空の尾翼のロゴ、角鹿が実に皮肉だ。

言うまでもなく中東は対立・紛争の宝庫であり、それはいまでも続いている。

一九五六年のスエズ戦争、一九六七年の六日間戦争、一九七九年のイラン革命、一九九一年の湾岸戦争、そして、何度も繰り返されるイスラエルとパレスチナとの紛争、イランとサウジアラビア、そしていま、新たな火種、ＡＥ連邦とＱＡ。日本ではあまり知られていないが、二〇一七年六月に勃発した、ＡＥ連邦ほかの諸国によるＱＡへの国交断絶は、当然のことながら、私が乗った東京からＤＯＨ市に向かう飛行ルートにも影響を与えていた。

ＱＡ航空はＩＲ以外のアラブ諸国の領空への飛行が禁止され、いまや、わずかひとつＩＲ国領海から、世界三位の埋蔵量を誇る天然ガス田の上空を抜けるルートしか認められていない。間違って国交断絶している国の領空を侵犯すれば、何が起きるかわからない。そうしたなか、何ごともなく、私を乗せた飛行機は定刻通り、ＨＭＤ空港に着陸した。

機内の乗客たちがシートベルトを外し、立ち上がった。

ＨＭＤ国際空港はＱＡ国先代首長の名を冠した最新技術を誇る空港で、二〇一四年に開業したばかりだが、この空港はドバイと競合する中東屈指のハブ空港となっている。

国交を断絶された後も、昼夜を問わず多くの飛行機が、全世界に向けて運行している。時間はかかるが航空運賃が経済的なせいか、近年この空港を経由してヨーロッパ各国やアフリカに向かう日本人旅行客、ビジネスマンも目立って増えてきた。成田からの直行便もほぼ満席だった。

飛行機を降りた乗客の多くは、十二時間三十分という長いフライトの疲れをそれぞれの顔に表しながら、最終目的地への期待感を浮べてトランジット・ルームに向かっていった。

私は彼らとは別れ、まっすぐ入国審査所に向かった。振り返ると、満員だった乗客のなかで、私の後にはわずか二人しか続かなかった。

税関検査が終わり、空港の外に出ると、顔なじみのインド人ドライバーが待っていた。運転手は「お帰りなさい、お疲れでしょう」と言いながら、私から荷物を受け取ると車のトランクに入れ、運転席に戻り、後部座席の私に声をかけた。

「シェラトン？」

「そう、いつも通り」

車は静かに走り出した。運転手が窓を開けてくれた。気持ち良い朝風が疲れた私の頬を撫でた。この季節、朝は涼しい。二月の湾岸諸国は、北半球で最も過ごしやすい場所ではないだろうか、日本の季節でいえば、十月とほぼ同じ気候だ。この時期、朝と夜は時に十度を割る日もあるが、平均十八度程度で、日中でも二十五度前後と、温度だけでなく湿度も低く、砂漠と灼熱の中東をイメージする日本人からみれば、思いもよらぬ快適な日々が続く。

雨は、ほかの湾岸諸国と同様に、一年を通してほとんど降らないが、この時期に数度、雷とともに豪雨が降ることがある。現地の人たちは雨が降ると「今日は良い天気だ」と大喜びする。砂漠の国にとっては、まさに恵みの雨である。雨が降ると郊外の砂漠で一斉に草が芽生え、花が咲く。丈が低い黄色い花が一面に広がる、壮観な景色を見ると自然の摂理を感ずる。

逆にＡＵＨ市とＤＯＨ市の夏は、最近の酷暑になれてきたとはいえ、日本人には耐えきれない。五十度を超える猛暑と海岸が近いために、ほぼ百パーセントの湿気となるからだ。車のボンネットで目玉焼きができるという話は本当だ。

暑い場所で生まれ育った人たちは、どういうわけかクーラーを十八度以下に設定するので、ビルから外へ出ると温度差は三十度以上、皮膚がちりちりとして、痛みに近い暑さを感じる。また湿度のせいで、眼鏡がいつまでも曇ったままだ。

私がはじめてＡＵＨを訪れた時、先人から「四月から十一月一杯は、五百メートル以上歩くと命の保証はないぞ」と脅かされたことを思い出す。たしかに服を着たまま、サウナの中で五百メートル歩きまわればどうなるか、想像すればわかるだろう。

アラビア湾に面する国々のうち、クウェート、サウジアラビア、バーレン、カタール、アラブ首長国連邦と国土の一部が面するオマーンを「湾岸諸国」と称する。

電気や水道のインフラ、クーラーがなかった時代に、湾岸諸国の人々はどうやって生活していたのか、と不思議になるほどだ。ちなみに、我々は「ペルシャ湾」と言うが、ペルシャ湾とは対岸のイランの呼び方で、イラン以外の中東諸国は、この湾を「アラビア湾」と呼ぶ。

周知のごとく、アラビア湾はアラビアン・ナイトに出てくるシンドバッドが活躍した海だ。その歴史は古く、マスカットからドバイ、ドーハを経てバクダッドまでの海路を開き、交易が行われてきた。

当時から使われていた帆船「ダウ船」は、今ではエンジンを搭載して、アラビア湾内で盛んに交易している。ダウ船は高性能で外航能力もあり、イランはもちろん、インドやパキスタンまで問題なく往来している。

私は、そのアラビア湾で働いていた。

運転手がアクセルを踏み込んだ。夜明け前の幹線道路は通行量もわずかだ。HMD空港を出ると右手にまだ暗いDOH湾が見える。車は馬蹄形の湾に沿ったコーニッシュ通りを猛烈なスピードで進み、遠くに見えていたシェラトンホテルには空港からわずか三十分で着いた。

私が定宿にしているシェラトンホテルは、一九八二年に開業し、ピラミッド形をしていて、日本大使館など各国大使館が集まるディプロマット地区に立地している。開業当時は周囲の開発は進んでおらず、湾の端に新しく出来た豪華な施設を、日本人駐在員たちは「DOH市には過ぎたホテル」と称していた。今でも国際会議や王族の結婚披露宴など、大規模なコンベンション施設として、QAで一番格式が高い施設である。

一方、プライベート・ビーチなども整備されたリゾートホテルの顔も持っている。まだ早朝のためか、閑散としたレセプションでチェックインすると、「初めてのご滞在ですか」と聞かれた。このレセプショニストが新人なのは、ひと目でわかった。「初めてこのホテルに来たのは一九八三年、ホテルができた翌年だ。以来ここには百回以上は宿泊している。それに、先週木曜日にチェックアウトしてからまだ四日しか経っていないよ」と返す。

このホテル、どういうわけか、来る度にレセプショニストが入れ替わっている。たしかに有数の立派なホテルではあるが、従業員は旧東欧地域やインドからの出稼ぎが多い。人口の八割が外国人という多民族国家、QA国民と出稼ぎ外国人との待遇格差は大きい。従業員の入れ替わりが多いのも、そんなことも関係しているのだろうか。余計なことを言っても時間の無駄だ。ともあれ、ホテルのメンバーカードを見せた。滞在履歴を確認して、態度が一変した。年に七十五泊以上宿泊すると最上級の特典が与えられる。一気にセミスイートルームにアップグレードされ、ピラミッドの角にあたる二間続きの部屋をあてがわれた。

## 石油利権契約更新交渉

ホテルの部屋の窓から、コーニッシュ通りのウエストベイ地区に面する、聖火台やヤシの木などを模した奇抜なデザインの官庁やホテルなどの商業施設が入る高層ビル群が見える。日本のテレビ番組でＱＡを紹介する時に必ず出てくる画像と同じ、おなじみのアングルだ。私の最大のビジネス・ターゲットのひとつ、ＱＡ国営石油会社の本社は、そのビル群の一角にあった。今回のＱＡ訪問は、ＱＡ国営石油会社から石油利権契約の更改を獲得することであった。しかも、事態は緊急を要した。なぜなら、わが社ユニーク・オイル株式会社（以下ユニーク・オイル）の子会社に当たるハッシ・バーミ社との間に、長期間にわたって締結されていた石油利権契約が失効するまで、わずか一か月しか残されていないからだ。

二〇一八年三月八日が、その交渉リミットだった。

中東では当たり前の、時間がかかる交渉を延々と続け、それでも契約更改の目前までこぎつけていたが、突然の国交断絶でまったく先が読めなくなってしまった。

この利権延長交渉の相手は国交断絶中のＱＡ国営石油会社、ＡＥ連邦、ＡＵＨのＡＵＨ国営石油会社の二社、まさに国交断絶の当事者同士だ。

国交断絶で互いに会うことが許されなくなった人たちを相手に、わずかひと月で交渉をまとめ上げなくてはいけない。

私はホテルの部屋からベランダに出て、早朝のビル街に聳え立つ、最上階に地球儀のような形をしたコンベンションホールを乗せたＱＡ国営石油会社本社ビルを眺めた。

これから始まる最終交渉に思いを巡らせたが、不思議なことに不安は感じなかった。

私が三十五年間にわたって勤務したユニーク・オイルは、英国法人のハッシ・バーミ社の株主である。ハッシ・バーミ社は、ＡＥ連邦ＡＵＨとＱＡの国境海域に跨るハッシ・バーミ油田の探鉱・開発・生産と操業を行っている。ハッシ・バーミ社が生産した原油は、全量を日本に持込んでいる。

これらの権利は、ＡＥ連邦ＡＵＨとＱＡ両国から石油利権契約として付与されていた。

この事業の根幹をなす石油利権契約は、一九五三年から六十五年間の長期契約であったが、二〇一八年三月八日に契約終結期限が到来する。わが社が事業継続するには石油利権契約の更新が何がなんでも必要だ。

当然のことながら、契約更新を目指して、二〇一三年九月から本格的にＱＡ国営石油会社とＡＵＨ国営石油会社と交渉しているが、技術担当のタカヤマ氏、経済・法務担当のノモト氏とともに、その交渉責任者として最前線にいたのが、私であった。

一般に中東における石油利権契約といえば、一九〇〇年代初頭から第二次世界大戦後の一九六〇年代前半にかけて、ブリティッシュ・ペトロリアム、エッソ、シェル、エクソン…などの前身で、英米仏を代表とする先進国の国策石油会社が、圧倒的な国力を背景に、原油の知識に乏しかった当時の中東諸国の国王や部族長と結んだものが多く、それらは、明らかに欧米の石油企業に極めて有利な契約であった。

その証拠に、当時の契約のなかには、なんと九十九年という一世紀にも及ぶ長きにわたる契約もあった。しかも、その内容たるや、まさに赤子の手を捻るがごとく、産油国から操業上の規制を受けることなしに、超長期に亘る探鉱、開発、生産、生産物の処分権を独占的に獲得していた。産油国がその見返りとして、石油会社から手にするものは、利権料と生産量あたり一定額をもらえるだけで、端的に言えば、当時の産油国からしてみれば、大油田を貸し、原油はとられ放題で、わずかに地代と家賃、売れ行きの少々の歩合を手にするだけであったのである。

しかし産油国は黙っていない。やがてそれぞれ独立国となり、石油収入が国の経済基盤になることを知るにつれ、自分たちがいかに騙されていたかわかりはじめた。

そこで産油国は石油輸出国機構（ＯＰＥＣ）を結成し、油田の国有化を宣言するにともなって、参入条件、税率などの契約条件は、次第に産油国側に有利になるように改定されたのである。

泣く子も黙る世界的石油企業といえども、産油国との交渉は、今やひと筋縄ではいかなくなったのである。

ハッシ・バーミ油田の最初の契約が六十五年前であり、私がいまここで、石油収入を国の財政基盤とする産油国を相手に、その契約更新を任されたことが、いかに困難を伴うことか、世界的な石油利権の歴史の変遷を振り返ってみればわかるであろう。

しかし、やらなければならない。

朝日がビルのガラス窓に反射して眩しい。だが、私はホテルの部屋のベランダに立ったまま、これからどのように交渉を進めるか思いめぐらせながら、日差しを浴びて光り輝くＱＡ国営石油会社本社ビルをいつまでも眺めていた。

## 田中清玄

一九〇〇年初頭に始まったアラビア湾における石油開発競争は、周知のとおり、イランやイラクなど、湾岸諸国の石油資源をイギリス、フランスとアメリカによって権利が切り分けられ、他の国の進出を排除してきた。

わが国は、第二次世界大戦で敗戦したことでそうした石油開発事業に参入できず、また、地理的に遠い中東にはなじみが薄いこともあり、世界的に後進国に甘んじていたことは否めない。ましてや、連合国の支配下に置かれた戦後のわが国において、石油開発などまったく蚊帳の外だった。

そうしたなか、日本のアラビア湾における石油開発は一九五八年に電力・鉄鋼・商社など日本を代表する四十社からなるオールジャパンで設立されたアラビア石油がその嚆矢とされる。

敗戦六年後の一九五一年、サウジアラビア政府より、同国がそれまで与えていた石油利権をアラムコ（アラビアン・アメリカン・オイル・カンパニー）より一部返還させたので、その利権を日本企業に付与しようという話が出た。

この情報をキャッチした時の日本輸出石油社長の山下太郎らは、日本政府を巻き込み、翌一九五二年、クウェートとサウジアラビアの中立地帯沖合鉱区の石油利権契約に調印した。そして先述のごとく六年後の一九五八年に日本の政財界が一体となって、アラビア石油が設立され、日本輸出石油から利権協定の権利義務が譲渡されたのである。

アラビア石油は、早速、地質調査を開始し、翌年には試掘を開始した。同油田はカフジ油田と名づけられ、戦後、日本最初の本格的な海外油田の開発となったのである。

ちなみにこの山下太郎も日本石油開発史に名を残す人物だが、日本の石油開発について語る時、欠かせないフィクサーがいる。戦後の政財界で暗躍した田中清玄がその人である。

田中の武勇伝は「田中清玄自伝――インタビュー大須賀瑞夫」（二〇〇八年　ちくま文庫）に詳しいが、アラビア湾の石油の利権に関してもかなり活躍している。

田中はある時、ＡＥ連邦建国前のＡＵＨバニヤス族の族長、シェイク・アクバル首長と知り合った。その時、田中はその人柄、識見、判断力、行動力、それらをすべて総合して最高の英傑だと思ったという。

やがて二人は肝胆相照らす仲となり親交を深めた。田中の人を見る目に狂いはなかった。シェイク・アクバルはまもなく頭角を現した。そして近隣の部族たちDXB、SHJとAJM、さらにUMQ、FJRとRKTおよびQAとBHの族長に呼びかけ、AE連邦を打ち立てたのである。

QWとBHは連邦への参加を断り、それぞれ独立国となったため、AE連邦は七首長国によって一九七一年十二月に建国した。その知遇から、シェイク・アクバル首長は田中に、日本企業のAUHの海上油田開発に参加を許可した。

なぜ首長が田中と特別に親しくなっただけでなく、利権まで与えたのかについては、SAとAUHが、シェイク・アクバル首長の出身地に隣接するオアシス近傍の石油利権を巡り、OMも関わった三国による国境紛争で一触即発の危機になった時、AUHのために、田中が日本とアメリカに手を回し戦争回避させたからだと言われているが、定かではない。

たしかにSAを抑えられるのは、石油利権を通じて深い関係を築いていたアメリカだけであったであろう。

こうして、山下太郎、田中清玄と言った個人的な力を通じてアラビア湾におけるわが国の石油開発は少しずつ進展してきた。その一方で一九六〇年代後半から、日本政府は将来のエネルギー問題解決のため、世界の大手石油会社数社に対して、中東における石油開発の権利譲渡の交渉を続けてきた。

彼らの中東における既得権益の一部を、金で買おうと言うわけである。そんな折、先のフィクサー田中清玄の交渉によって、一九六九年、アラビア湾に関する石油開発の覇権を担っていたブリティッシュ・ペトロリウム社（通称ＢＰ）からの権利譲渡の話が飛び込んできた。それが、ＢＰが三分の二、フランス国営石油（通称ＣＦＰ）が三分の一の利権を保有していた広大なＡＵＨの海上鉱区であり、その一部であったＱＡ国境に位置する海上油田の利権であった。

田中の力もさることながら、日本経済が世界に冠たる高度成長を遂げたのも、大いに影響があるかもしれない。

それにしても石油銀座と言われるアラビア湾の油田は、わが国が入り込む隙間は一ミリもないと覚悟していたが、ＢＰからの権利譲渡はまさに風穴を空け、突破口となった。

オイルショック当時、企業トップの大多数は第二次大戦の経験者で「石油の一滴は血の一滴」という言葉が身に染みている世代。二度と石油資源獲得のために戦争はしてはいけないとの思いが強かったと聞いている。

その思いのもとで、何とか平和的に石油資源の開発ができないものかと切望していたところに、石油利権の譲渡であった。やがて、利権取得が確実となったことから、国内の受け皿としてわが社、ユニーク・オイルが設立された。設立にあたっては、日本興業銀行（当時）の中山素平が旗振り役になり、東京電力、関西電力、中部電力を中核に、国内の主要民間企業三十四社と石油開発公団（当時）が株主となった。

こうして激しい何度にもわたる交渉の末、ＢＰ社が持つ三分の二の権益のうち、その半分を買取って参入したのが、ＡＥ連邦のＡＵＨとＱＡ国境の海上油田「ハッシ・バーミ油田」だったのである。

つまり、私が入社したユニーク・オイルは、ハッシ・バーミ油田を開発することを目的として、一九七〇年十一月六日に設立された半官半民の会社である。

ＡＥ連邦とＱＡが独立宣言し、国際的に承認されたのは、一年後の翌一九七一年のことであった。ちなみにユニーク・オイルは二〇〇三年に完全民営化され、現在の株主はＪ社、Ｃ社、Ｍ社の三社である。

ただし、この油田の開発には最初からひとつだけ大きなネックがあった。油田が国境に跨って存在するということは、その石油開発に関する契約や、技術と経済的な折衝も、すべて両国の国営石油会社を同時に相手にしなければならないということであった。ＡＵＨ側が了承しても、ＱＡ側が拒否すれば、その契約や協議事項は成立しない。

一九五三年にＢＰ社がシェイク・アクバル首長の先代首長と石油開発契約を締結したＡＵＨ海上鉱区の一部から、ハッシ・バーミ油田を分離したのは、日本の情熱もあるが、ＢＰもＣＦＰも国境を跨ぐ、比較的小規模な油田には興味がなかったことが、本音だったのであろう。

石油開発の利権はとにかくややこしい。産油国と消費国の思惑、消費国間の資源獲得争い、資源開発会社の思惑と産油国トップの人間関係、これが原因で二十世紀は世界を巻き込んだ戦争に明け暮れたと言っても過言ではない。

わが国もしかり。第二次大戦後も中東では紛争が相次いで起き、今も収まっていない。ともあれ新利権に事業参加できたことは、第二次オイルショック後に、雨後の筍のごとく設立された石油開発会社の中では、順調な滑り出しであったことは間違いない。

## 国交断絶

そのハッシ・バーミ油田の利権契約が、二〇一八年三月八日で切れる。

契約更新の交渉は、今始まったことではない。それまで会社の経営者が産油国を表敬訪問した時に必ず要請してきた。最初の正式要請は二〇一三年九月のことであった。

当時の社長がAUH国営石油会社総裁に書簡を持参し、利権契約の更新を申請した時である。その要請内容は、現状の利権料率と税率を維持すること、更新時に新たな鉱区を付加すること、そして百パーセント日本企業による操業という三項目であった。もちろん、すべての項目が認められるか分からない、一部却下は覚悟の上だが、可能性がある限り最大限を要求したのであった。

また、QAに対しては、エルサーダ石油大臣とQA国営石油会社シェリダCEOと面談して、ＡＵＨ側との交渉結果を報告したうえで、正式に利権契約更新を要請した。

それ以降も両国を相手に延々と続けてきた交渉だが、緩やかな進展のまま、いつの間にか期限が迫ってきていた。

中東のビジネス文化は、今すぐ決められる事柄であっても、期限まで時間に余裕があればすぐに決定しないことが多々ある。期限までに何が起きるかわからないと考えているのだろうか、決定は期限直前にバタバタと行われることが当たり前だ。

そこに大事件が起きた、両国の国交断絶だ。

二〇一七年六月四日、ＡＥ連邦政府は突然、隣国ＱＡに対し、国交断絶を宣言した。ＡＥ連邦内にいるＱＡ人は十四日以内に国外退去。同時に、ＡＥ連邦国民のＱＡへの渡航、滞在、通過を禁止すると発表した。ＱＡと国交断絶した国はＡＥ連邦だけではない、隣接するＳＡとＢＨ、エジプト、イエメン、モルジブの六ヵ国が同時に国交を断絶している。

「ＱＡはテロ組織を支援している」というのが表向きの理由だが、ＳＡの目の敵であるＩＲとＱＡが友好関係にあることが問題とされているようだ。

日本にいれば、アラビア湾におけるそうした覇権争いも遠い国の出来事だが、私たち、中東の油田、それも石油開発の契約に関わっている者にとって、この国交断絶は命とりになるかもしれない、寝耳に水の大事件であった。事実、ＡＥ連邦によるＱＡとの国交断絶宣言以降、交渉は停滞してしまった。

ＡＵＨ政府は、自国民のＱＡ渡航はおろか、ＱＡ人との直接対話も禁じてしまったため、国の機関であるＡＵＨ国営石油会社も厳しく制限されてしまった。

当然、契約更新に関してもＡＵＨ側はＱＡ側と直接話を一切しない。幸いなことに、ＱＡは国交断絶された側だが「政治とビジネスは別」という立場であった。二国の間に立つ私にすれば、それがせめての救いであった。しかし、このままでは、ただ日時だけが無為に過ぎていき、契約期限が終了すれば、契約は破棄される。そうなれば「ハッシ・バーミ油田」のために設立されたわが社、ユニーク・オイルも、その子会社であるハッシ・バーミ社も、存在の必要がなくなる。わが社のまさに「そこにある危機」である。

そんな時、ＱＡ国営石油会社と直接協議できないＡＵＨ国営石油会社は、わが社、ユニーク・オイルに、ＱＡ国営石油会社との仲介を要請してきた。

もちろん、契約更新を急ぐ我々は、その提案を受け入れたが、結局その仲介役は交渉責任者の私に降りかかってきた。

なぜなら、中東のビジネス文化では、会社は無機質な存在に過ぎず、どれだけ名が通った大企業であっても、いきなりビジネスは始まらない。ビジネスを始めるには、まず交渉が必要だが、一見さんでは無理で、相手に馴染みがなければ交渉に応じない。

しかも、馴染みの人間のうち、相手に信頼されている人はフォーカル・ポイント（キー・パーソン）として指名され、ようやく交渉に入る。つまり、個人で築き上げた信頼関係がすべてなのだ。

フォーカル・ポイントとして指名されたことは、私を認識して信頼してくれた証だった。長い時間をかけて相手に認められたことは大きな喜びだ。だが、それにしても一民間人の立場で、国交断絶した国同士の仲介をするなど、そんな大それたことができるのだろうか。

悩んでいても始まらない、何としてでもＡＵＨ側とＱＡ側の国営石油会社同士の橋渡しをしなければ契約が終了してしまい、わが社はすべてを失くす。会社はすぐに消滅し、社員は路頭に迷う。どんな方法を取ってでも、この契約延長だけは取り付けなければならなかった。

それにしても両国営会社の同意が必要な契約を、お互い担当者がそろった会議をすることなく、どう進めたらいいのだろうか。

私はこの切羽詰まった時期に、まずそこから考えなければならなかった。

その時、私は、まず両国国営石油会社に対し「メールで協議」か「第三国で対面会議」を提案した。ＱＡ国営石油会社は、同意したうえで、第三国の会議が望ましいと回答した。一方、ＡＵＨ国営石油会社は、国交断絶下、政府がＱＡ人との接触を禁じている限り、国の機関として例えメールでも不可、まして第三国での会合などもっての外という回答であった。

次案として「厳封した書簡でのやり取りではどうか」と提案した。ＡＵＨ国営石油会社は、何と、ＡＵＨ国皇太子の許可を得る手続きを経て、この案を受け容れた。だが、今度はＱＡ国営石油会社が猛然と拒否した。書簡でのやり取りなど、ビジネス慣習として受け入れられない、両国の国営石油会社同士が堂々と協議の場に立つべきだという姿勢を崩さなかった。

皇太子からのお墨付きを却下されたＡＵＨ国営石油会社は、体面を傷つけられて機嫌が悪い。そのため、なかなか埒が明かない。交渉の現状は、幸いＡＵＨ国営石油会社からは、石油利権契約の更新条件がほとんど示されたものの、一方、ＱＡ国営石油会社からは、いまだ何も示されていない。

ＱＡ国営石油会社は、まずＡＵＨ国営石油会社とお互いが同席し、わが社に提示すべき経済条件の内容を協議した上で合意を図ることが必要で、合意前に、ＱＡ国営石油会社は更新条件をわが社に提示はしないと言っている。

しかしＡＵＨ国営石油会社は、国交断絶している国とは同席できないと言う。まさに平行線でジレンマに陥った。このままでは交渉決裂か時間切れになってしまう。

幸いＡＵＨ国営石油会社は、すでにわが社に更新を認めているのだから、万一、利権契約の失効までに契約更新手続きが完了できなければ、暫定延長しても構わないと言ってくれた。ありがたい。時間の猶予ができる。

一方、ＱＡ国営石油会社は、利権失効した場合は、直ちに操業と生産を停止すると強硬だ。ＡＵＨ国営石油会社がわが社に条件提示したことに対する不満と不信感を隠そうとしなかった。生産停止となれば、まさに、わが社はサドンデスだ。

そこで、両国営石油会社に対し苦肉の策として提案したのは、ＡＵＨ国営石油会社とＱＡ

国営石油会社がそれぞれ弁護士を選任し「選任弁護士を通じて協議する方法」だった。これがわが社にとって最終手段だった。当事者同士が会えないのなら、それぞれの国営石油会社の外国人顧問弁護士同士が会談をすることで、契約に関する協議を始めることができるからだ。

正直言って、この案が通らなければ、万事休すであったかもしれない。時間切れによる失効は免れなかったであろう。私は、天に祈る気持ちであった。

ＡＵＨ国営石油会社とＱＡ国営石油会社が、それぞれ社内の機関決定手続きを経て、ようやくこの提案を受け容れた。シュクラン・ジャジーラ！(ありがとうございます)。忘れもしない。その日は二〇一七年十二月三十一日、まさに大晦日であった。

日本で待っていた私に携帯電話が鳴った。受け入れる旨の連絡があった瞬間、深い霧の中に閉ざされ途方に暮れていた私はようやく先が見えてきた気がした。これで無事に年を越せる。

## 更新二か月前

そして契約最終年、二〇一八年の年が明けた。新しい年になった。

契約期限が切れる年である。選任弁護士たちは年末年始の休暇を返上して協議を進めていてくれるだろうか、期待と不安を感じながら、私は新年を過ごしていた。

だが現実は期待とは裏腹に、双方の選任弁護士による協議は隔靴掻痒。事態は、遅々として進まなかったのである。

わが社の存続をかけて私が絶対に成し遂げなければならない「ハッシ・バーミ油田の契約更新」まで残りわずか二か月――。

ここまでの経過でもわかるように、どちらかといえばAUH側が私の立場を理解してくれていた。特にAUH国営石油会社の担当者であるコヨーデ氏は、社内をうまく調整してくれている。しかも、どんな状況でも私とコヨーデ氏は、いつでも電話連絡を取り合えば充分に意思疎通と調整が可能になっていた。

問題はQA側だった。私はQA国営石油会社に張り付いて進捗を確認し、何とか更新契約が締結できるよう、働きかけるしかないと考えた。利権契約の更新が成就するまで、DOHに居座るつもりだ。だが持ち時間がどんどん少なくなり、眠れない夜が続いていた。

こうした思いとは裏腹にあっという間にひと月が過ぎ、利権失効まであと三十日を切った。

私がDOHに到着し、シェラトン・ホテルにチェックインした二月十三日は、QAの祝日、体育の日だった。QAは宗教上の祝祭日以外はあまり休まない国だが、この日は若きQA国首長も国民とともにスポーツを楽しんだ様子が部屋のテレビのニュースに映し出されていた。微笑ましい映像だったが、契約更新で精神的に焦っていた私には貴重な一日が失われたような気がして、空しい思いで画面を見つめていた。

翌二月十四日、私は居ても立ってもいられず、朝一番でQA国営石油会社の本社を訪ね、担当のハミッド氏に会いに行った。

「ハミッドさん、これから先、日本での手続きに要する日数を会社に確認したが、それによれば、二月十八日までに、QA国営石油会社とAUH国営石油会社が合意した経済条件案と契約書案を提示してもらわなければ、わが社は三月八日の期限までにすべての機関決定手続きを完了することは困難だといっている。わが社も株主に必要な時間を確保する必要があることを理解してもらいたい」

「二月十八日までに経済条件が提示されれば、わが社と株主は受入れの可否を検討する。もし交渉が必要と判断されれば、QA国営石油会社とAUH国営石油会社がそれぞれ選任した弁護士とわが社の三者で会議を行いたい」と申し入れた。

ハミッド氏は期限に間に合わなければ何らかの対案があるはずだと言い、「ナカムラは心配しすぎだ」と言いながら「経済担当チームに進捗を確認してみる、ユニーク・オイルが望めば、交渉することは、当然、異論ないはずだ」と言った。

このハミッド氏と我々は親しい。なぜなら彼は、QA国営石油会社からハッシ・バーミ社に出向していた経験があり、私も同僚として彼と一緒に働いたこともある。

特に、利権契約交渉チームの技術リーダーのタカヤマ氏を師匠と尊敬する彼は、わが社のシンパである。今はQA国営石油会社の交渉窓口として、わが社の意向を大変よく理解してくれているが、いかんせん、経済条件に関しては力がない。

QA国営石油会社内のヒエラルキーでは、彼の調整には限界があることが次第にわかってきた。技術案件は彼が絶大な権限を持っている、彼がＯＫと言わなければその先はない。入札手順でも、技術責任者が不可と判断すれば、応札した会社はそこでディスクオリファイ（失格）になるのは、石油利権契約という大きな事案でも同じだ。

だがハミッド氏が技術提案を受け容れてしまえば、経済担当チームにデータが渡り、そこから先は経済担当チームに権限が移ってしまう。入札手順と同じと言えばそれまでだが、ここが難しくて厄介なところだ。しかも、ハミッド氏によれば、経済担当チームが入っている部屋は社内でも特別な許可がなければ入室すらできないと言う。守秘は徹底、まさに縦割り組織だ。情報も外に漏れてこない。

もちろん、ハミッド氏もどうなっているのか、わからない。そうなると、交渉担当の私もまったく動きようがない、動けば逆効果になるかもしれず迂闊なことはできない。二十年に及ぶ油田の利権契約なので、産油国が敷いたルールを逸脱することは許されない。ハミッド氏が、社内の人脈を通じて得た情報を頼りに、ここまで交渉を続けてきたのだから。今はただ、彼が経済チームから漏れ出る情報を得てくれることを信じて待つしか方策はなかった。

ハミッド氏との打ち合わせを終え、ＱＡ国営石油会社本社ビルから出たところで、偶然にも、鉄壁の経済担当チームのゼイード氏とばったり出会った。

幸い私は彼ともこれまでの交渉で顔馴染みになっていた。これは絶好のチャンスだ。私はＱＡ国営石油会社本社ビルから少し離れた場所で、立ち話ながらゼイード氏に進捗状況を確認してみた。

ゼイード氏はガードが堅いと思っていたのに、進んで状況を説明してくれた。

「ナカムラ、わが国がＡＥ連邦から国交断絶される前、実は我々が『ハッシ・バーミ油田利権の経済性試算』のエクセルシートを作成して、昨年四月にＡＵＨ国営石油会社と共有しているんだよ。でも、六月に国交断絶になっただろ。だがハッシ・バーミ油田の利権契約更新の案件は国交断絶に関わらずまとめろと上から言われている。多分、ＡＵＨ側も同じだと思うけど。この油田を放置しておくわけにいかないからね。どういう動きがあったか私の関知するところではないが、二月八日に、ＡＵＨ国営石油会社から経済条件の提示を受けたよ」

「私の立場は、受けた情報を基に、ＱＡ国営石油会社にとってリーズナブルな条件を、上層部に提言することだ。提言内容をベースに、ＱＡ国営石油会社とＡＵＨ国営石油会社がお互い合意できるように調整を進めているんだが、困ったことに、こっちとあっちとで調整の前提となる経済性の試算結果が合わないんだよ」と言う。

「試算結果が合わない」とはどういうことだ。

契約更新に当たり、この先二十年間に必要な設備投資と経費予算、原油生産量の見通しを一致させることが前提となる。一致していれば収入見通しの試算も当然、一致する。ＱＡ国営石油会社とＡＵＨ国営石油会社の試算結果が一致しないということは、単なる計算ミスか、新たな条件を加えたか、計算プログラムを変えたか、いろんなケースが考えられる。

二月八日と言えば、私は確かにＡＵＨ国営石油会社のコヨーデ氏にメールを発信し、早急にＱＡ国営石油会社の選任弁護士に経済条件を提供するよう要請していた日だ。

ゼイード氏から今聞いた話によって、ＡＵＨ国営石油会社は私の要請を受けて、即座に対応してくれたことが確認できた。それなのに試算結果が合わない？　何を今ごろ。合わないならすぐに言ってほしい。言ってもらえれば直ちにＡＵＨ国営石油会社に指摘できたのにと思った。だが、私はこみあげてくる怒りを抑えて言った。

「ゼイードさん、利権契約の失効が迫っている時期に悠長なことを言うのは勘弁してほしい。ＡＵＨ国営石油会社からデータが届いて一週間近くたっているじゃないか、その間何をしていたんだ。我々は、一刻も早くＱＡ国営石油会社とＡＵＨ国営石油会社が合意した経済条件を提示してほしいと、散々言っていたことはあなたにも伝わっていたはずだ」

「我が社の株主は日本を代表する企業で、機関決定手続きには時間がかかる。今しがたハミッド氏にも言ったばかりだが、二月十八日までに経済条件を提示してもらえなければ、現契約の期限内に手続きが完了できない。ＱＡ国営石油会社はどう対応するつもりなのか」

それに対しゼイード氏は「選任弁護士に事情は話してあるし、期日に間に合うかどうかを私に求めるのは筋違いだ。すべてはＡＵＨ国営石油会社次第じゃないのか」と他人事のように言う。

ゼイード氏はＱＡ国営石油会社の雇われ外国人だ、国営会社の威光を笠に着てプライドが高く、謝るどころか自ら頭を下げて頼むことをしない人だということは知っている。ここに至って木で鼻を括るような態度は許せないが、私はここは耐えなくてはと思い「私からＡＵＨ国営石油会社に、試算結果を検証するために必要なデータをＱＡ国営石油会社に提供するよう、頼んでみようか」と伝えた。

すると、ゼイード氏は「ノー・オブジェクション」と返答した。

「ノー・オブジェクション」は中東でよく使われる常套句だ。官庁などに許可申請した時、官庁の役人が一般人に対して使う、上から目線の言葉だ。直訳すれば「差し支えない」だが、そのニュアンスは「したければ、どうぞ」だ、まあよい。こんなことで腹を立てていたら、中東では生きていけない。

## 安息日

私が偶然にゼイード氏と会ったことで、事態は一気に動き出した。

腹が立ったが、実に幸運だった。この幸運がなければどうなっていたかわからない。

私がホテルに戻ったところへ、ＡＵＨ国営石油会社のコヨーデ氏から電話が入った。

「ハッシ・バーミ油田利権契約のベースになっているダーシー協定から現在に至る経緯が分かる資料を大至急持ってきてくれないか」と言う。

ダーシー協定とは、前述の通り、一九五三年に当時のＡＵＨ国首長と英国のＢＰが締結したＡＵＨ領海の石油開発の利権契約だ。この契約が基となって、ＡＵＨ海上の鉱区はＢＰが三分の二、フランス国営石油ＣＦＰが三分の一と取り決められた。ハッシ・バーミ油田もこの利権の一部だったが、大規模油田の開発を優先したいＢＰとＣＦＰは、ハッシ・バーミ油田をＡＵＨ海上鉱区から切り離して、わが社の参入を認めた。

ＢＰが所有するハッシ・バーミ社株式の半分をわが社に売却したことで、ハッシ・バーミ社の株主は、わが社、ＢＰとＣＦＰが三分の一ずつとなった。だが、ＣＦＰはハッシ・バーミ油田の開発に興味を示さず、開発資金は我が社が九七％、ＢＰが三％負担することになった。石油資源に関する権利関係は極めて複雑だ。コヨーデ氏も、今回の交渉によってようやくハッシ・バーミ社とユニーク・オイルが事業参加した経緯が理解できたと言っていた。

大まかな説明を終えると、こんな会話になった。

「私は今ＤＯＨにいるので、ハッシ・バーミ社の誰かに今説明した内容が分かる書類をすぐ届けさせよう、それにしても、今頃になって余りに初歩的な要請じゃないか」

「いや、そうなんだけど、法務部門の人間は自分の目で見て、すべてチェックしないと納得しないんだ。そのくせ、自分で対応するより聞いたほうが早いってわけ。私に聞いてきたから君に連絡したんだ。それにしてもナカムラ、本当にあなたは外国人なのに、ＡＵＨやＤＯＨのことを何から何までよく知っているね、こっちも助かるよ。ハッシ・バーミ油田の生き字引だね」

「お褒めいただきありがとう。ところで、ＱＡ国営石油会社が経済性を試算したらＡＵＨ国営石油会社と試算結果が異なると言っていたが、その件に関して何か心当たりはあるかな。どこがどう違うのか、ＱＡ国営石油会社が検証できるよう、データ提供の準備を進めてもらえないか。契約失効まで時間がないので急いでほしいんだ」

「へえ、そうなんだ。心当たりはまったくないが、うちの経済担当に伝えておくよ、時間がないのはこちらも同じだからな」

ここでＡＵＨ国営石油会社の確認がとれた。試算結果が合わないという話でＱＡ国営石油会社が遅れていることをＡＵＨ国営石油会社に知らせることができてよかった。ＡＵＨ国営石油会社にしてみれば、とっくに経済条件に関する資料はＱＡ国営石油会社に送ってあるのに、返事がないということになれば、また別の問題が生じるかもしれない。

立ち話といえども、ＱＡ国営石油会社の経済担当ゼイード氏に出会ったことは、実にラッキーだったと言える。

翌二月十五日、午前九時三十分、私はＱＡ国営石油会社のハミッド氏を訪ね、ゼイード氏やコヨーデ氏とのやり取りなど、進捗を説明しようとしたが、彼が多忙とのことで、ハミッド氏の部下のベイケル氏と会った。

幸いなことに、ベイケル氏はハミッド氏と情報を共有していて、経済担当チームが指摘した経済計算の齟齬については弁護士間でも認識している、とのことであった。ここでも、ゼイード氏との会話が役に立った。

「まだるっこしいから、私がＡＵＨ国営石油会社のコヨーデ氏に直接連絡してすぐに対応してもらおう」と言うと、ベイケル氏は躊躇なく「わかった、ありがとう」と応えた。これまでどちらにボールがあるのかわからず、まったく進展のなかった契約更新が明らかに動き始めた。あとは時間が間に合うかどうかである。私はホテルに戻ってＡＵＨ国営石油会社のコヨーデ氏に再び電話を入れた。

「コヨーデさん、ＱＡ国営石油会社はやはり経済性資産に使うデータが必要だと言っている。すぐに送ってほしいんだが、よろしく頼みます」

「わかった、すぐに送ろう。あなたからＱＡ国営石油会社に渡してくれるのか」

「いやコヨーデさん、私からデータをＱＡ国営石油会社に渡すと、わが社が画策して、ＱＡ国営石油会社とＡＵＨ国営石油会社が弁護士を通じてすべき大事な協議を妨害したとか言うかもしれない。だから時間がかかっても、ここはきちんと弁護士経由でやり取りをしてくれませんか」

と私がそう伝えると、コヨーデ氏は「そうだったな、そうしよう」と快諾した。

久しぶりに交渉が順調にいったせいか、この夜は熟睡できた。

翌二月十六日金曜日はＡＵＨとＤＯＨ共にイスラム教の安息日で、金曜、土曜日と二日間が休日となる。私は休みを利用して、久しぶりに親しい友人のアーメド・ジャバル氏と会うことにした。

日本人駐在員の多くは、久しぶりの休日を日本人同士でゴルフをしたり、家族サービスに充てることが多いが、私はＡＵＨに単身赴任していた時から、その国の人々と友好を深めることに努めていた。お互いの文化の違いを知ることに興味を覚えていたからだ。今ではすっかりアラブの文化に違和感を感じなくなっている。

アーメド・ジャバル氏はＱＡ国営石油会社からハッシ・バーミ社に出向することが決まった際に、私が彼の出向条件や手続きに関わったことがきっかけで親しくなった。ＡＵＨに勤務していた時は、彼とエジプト旅行に行くこともあった。私がひどい熱射病になって、病院に緊急搬送され入院した時は、心配して付き添ってくれた。こんなに親身になってくれた人は日本人の同僚にもいなかったので、まさに感謝と感激だった。

私が日本に帰任した後に、彼が出張で日本に来た時は観光旅行や買い物などおつきあいした。私がＤＯＨに滞在している時は、その時のお返しとばかり細やかに気遣ってくれる。彼は私の任務を知っていて、私が孤軍奮闘で気が滅入っていないか、心配してくれていたのだ。

アーメド・ジャバル氏はＱＡ国前首長の弟のご学友である。その関係もあって、彼と知遇を得たおかげで私のＱＡとＡＵＨでの人脈が広がった。

彼は数年前にハッシ・バーミ社への出向が解除となり、ＱＡ国営石油会社に復帰したが、自宅待機のまま給料を全額もらっている。その額は円換算で何と月額四〇〇万円。この国は消費税はもちろん、所得税も住民税も社会保険料徴収もなく全額手取りだから、その収入は多分、日本の上場企業の社長並みではないだろうか。おまけに毎年昇給と数年毎に昇級もあるという。何とQAの豊かなことか、はたまた、おおらかなことか。

彼は「QA国営石油会社のシェリダCEOがこの状態に気がついて、どこかにポストを見つけるから、働けと言われないよう願っている」と笑いながら言った。それにしても自宅待機で月給四〇〇万円とは実にうらやましい、彼は複数の会社のスポンサーになっていて、副収入もかなりのものだ。

アーメド・ジャバル氏は「今は起業する準備で忙しい、QAにはガラス工場がなかったので、私が作るんだ。イタリアのガラス・メーカーと提携して工場建設も順調に進んでいる。政府も後押ししてくれているし、製品の販売先も決まっているので工場が稼働し始めたらお金の心配はなくなる」と言う。

彼はたしかに私と知り合った頃から金遣いは荒かったが、そう言えば、月に四〇〇万円の給料は一週間で使い果たすと豪語していたことを思い出した。もっともQA国民は高所得だが物価の上昇もすさまじい。QAは天然ガス収入で潤い、今や二〇二二年のサッカー・ワールドカップ開催に向けて、国中が鉄道建設を始めインフラ整備などで経済が過熱している。私も出張する度に物価の高さを実感している。ホテルでスパゲッティなど、簡単な昼食を取っただけで、軽く五千円はかかってしまう。

チュニジアから始まった「アラブの春」の影響を食い止めるため、自国民の給与や処遇を大幅に改善したことで物価高となったが、二〇一七年の国交断絶で拍車をかけた。SAやAE連邦など隣接する国との国交断絶により、生鮮食料品など必需品の輸入が止まり一時的に物流が混乱したが、すぐにIRやトルコなど友好国の支援を受けて輸入を増やした。

また、ヨーロッパからも食料品等を空輸したことが、物価上昇の原因となっている。

定宿のシェラトンホテルにも変化があった。トルコのステーキハウスが開業し、近くの公園にトルコ名物のアイスクリーム、ドンドルマの店ができた。国交断絶の直後、軍事侵攻を恐れたQAが頼りにしたのがトルコだ。トルコは直ちに軍隊を駐留させた。このこともきっかけとなり、トルコ料理の店が増えたのだろう。

アーメド・ジャバル氏は「物価はちょっと上がったけれど、品質は以前より良くなった。国交断絶の影響はほとんどない、以前、QAは消費財をほぼ一〇〇%輸入に頼っていたが、今、政府は基本的に輸入に頼らず自国で賄うことに力を入れている。政府の方針は自分が起業したガラス工場の建設にも追い風となっているよ。政府が積極的に事業を支援してくれるようになった。国交断絶が続いてもまったくQAは困らない」と言っていた。

私はアーメド・ジャバル氏とお互いの近況を話しながら、QA伝統料理を楽しんでいた。そのさなか、エルサーダ石油大臣からアーメド・ジャバル氏に電話がかかってきた。

アーメド・ジャバル氏とエルサーダ石油大臣は、たまたま同じ飛行機に乗り合わせたことがきっかけで、大の親友になったという。

私が初めてエルサーダ大臣を見かけたのは二〇〇七年、QA国営石油会社在職中にも関わらず、国務大臣に任命された時であった。私がQA国営石油会社に出張した時に、社員選抜サッカー大会があるからと招待され、そのサッカー会場に新大臣として、エルサーダ新大臣は現れた。選手と社員全員が拍手と歓声で迎える姿を見て、人気の高さと人望の厚さに驚いたことを覚えている。

その後、エルサーダ大臣は石油大臣とQA国営石油会社のCEOを兼務しながら、QA国代表としてOPEC会議の議長を務めるなど、目覚ましく活躍した。

私もエルサーダ大臣と会うのは初めてではない。わが社の役員と共に何度もエルサーダ大臣を表敬訪問したことがあるが、当時の私は、大臣に認識されることはなかったと思う。しかしアーメド・ジャバル氏とエルサーダ石油大臣の交友が始まると、自然と私も、エルサーダ大臣と個人的に会う機会が増えていった。まさに友だちの友だちは、友だちだ。

エルサーダ大臣は、肩書の関係ない付き合いをしてくれた。アーメド・ジャバル氏とエルサーダ石油大臣から、日本でしか手に入らない品物を頼まれ、私がQAに出張する際に持参することが何度もあった。この日もエルサーダ大臣はアーメド・ジャバル氏に「今、どこで何している？　都合がよければ会いに来ないか」と聞いたようで「今、あなたもよくご存じのナカムラといる。すぐに行きます」と返事し、一緒に会いに行くことになった。

エルサーダ大臣もまた、友人と食事中だった。その国の習慣を理解し、その国の文化と人々に敬意を払う。私が長年の経験で身に着けた基本姿勢は、ごく自然に大臣とのプライベートな会食でも受け入れられている。エルサーダ大臣と友人の食事会に合流した。エルサーダ大臣は私がＤＯＨにいる理由を知っていた。

普段は仕事に関する話はしないが、この日に限って大臣から直接話しかけてくれた。

「私はハッシ・バーミ油田の利権契約に直接関与していないが、ＱＡ国営石油会社のシェリダＣＥＯから進捗は聞いている。ナカムラ、君の仕事が契約期限までに完了するよう願っている、グッド・ラック」

そして、大臣は話題を変えて「日本にはガスや石油の仕事で何度も訪れているが、いつも日本人の勤勉さと優秀さに敬意を抱いている。日本で一番印象的だったのは国王といっしょに訪問した時に、天皇陛下に拝謁して昼食を共したこと。天皇陛下にお会いして、心から尊敬の念を抱いた。日本との関係を益々発展させなくては、という思いになった」という話をした。

私も熱い気持ちを込めて、大臣に自分の思いを伝えた。

「ハッシ・バーミ油田の利権契約が更新できるよう、誠実にＱＡ国営石油会社と話し合います。私は三十五年間に亘ってＱＡと関わってきました。ほとんどの日本人はハッシ・バーミ油田を知らないのですが、私の会社は、貴国が建国する前から操業に携わっています。この油田の利権契約更新が成就すれば一層、貴国と日本の絆が深まると信じています。交渉担当者の私にとっても誇りに思いますし、大げさかもしれませんが、貴国と日本の架橋として貢献できることになると思っています」

私の言葉を黙って聞いていたエルサーダ大臣は、じっと私の目を見て頷いていた。

## 決裁権限者

休日が明けた。

二月十八日。私は、はやる気持ちを抑え、朝六時三十分になったことを確認して、QA国営石油会社のハミッド氏に電話を入れた。

「ハミッドさん？　今日は電話がつながってよかった。AUH国営石油会社から経済性試算の検証のためのデータは届いているか確認したいんだけど？」

「ああ、私も気になって朝一番に経済担当チームに確認したところだ。経済性試算結果を検証するために必要なデータは選任弁護士経由でAUH側から入手した。経済担当チームは先週の金曜日に全員出勤して検証作業をしたそうだ」

私は安堵した。ようやくQA国営石油会社が動いてくれたのだ。しかも、他人事のような言い方をしていた、あのゼイード氏が休日に出勤してくれたとは、信じられない思いであった。

翌二月十九日。月曜日。すでに二月十日からAUHで待機していたわが社の経済・法務担当のノモト氏がAUH国営石油会社を訪問し、法務部門と契約書案の構成と進捗について確認した。

一方私は、コヨーデ氏に電話を入れ、まずデータがQA国営石油会社に届いたことと、検証作業が無事終了したことを伝えた。

動きがある都度、細かいことでも両社にきちんと同じ内容を伝える。両者の担当は日本の中央省庁でいえば部長級で、極めて多忙な人たちだが、私の電話連絡にはどんなに忙しくても応じてくれる。電話に出られない時は、自分の要件が片付き次第、折り返してくれる。当たり前のことだが、都度、情報共有する姿勢が信頼関係の醸成に役立つ。「俺は聞いていない」ということが、交渉事を多々こじらせる原因になるからである。

まして、私が担当している二社は、ともに国家を背負った代表的な会社であり、さらには二国は国交断絶している。信頼関係が崩れてしまえば、交渉はそれまでだと、私は、常に肝に銘じていた。

QA国営石油会社の検証作業が済んだのであれば、後はAUH国営石油会社との最終調整と合意だ、時間は多くかからないだろうと思われた。

私はコヨーデ氏に「わが社、AUH国営石油会社とQA国営石油会社がそれぞれ選任した弁護士による三者会議は暫定的に二月二十六日開催としませんか、場所はAUHでいかがですか」と提案した。

さらに「前もって確認しておきたいのですが、契約書の決裁権限者と署名者は誰ですか」と聞いた。誰が決済権限を有しているかの確認、これは中東で政府機関とビジネスの契約をする時に、ぜひ相手側に聞いておくべき重要な事柄である。

コヨーデ氏は「わが社は三者会議の開催日と場所に異存ない。契約書はＡＵＨ国営石油会社総裁が決裁者として署名する。最高石油評議会（通称ＳＰＣ）がハッシ・バーミ社の監督部署なので、ＳＰＣ事務総長も署名することになる」と即答した。

コヨーデ氏の返事を聞いてほっとした。三者会議の日程もさることながら、決裁権限がＡＵＨ国営石油会社総裁と聞いて安堵したのだ。

石油利権は国の最大の財産だ、国王の専管事項だとしても不思議ではない、もしこの案件が国王の決裁となり、承認の証である「国王令」を発する必要があるとなれば、改めて膨大な手続きが必要になる。国王の決裁後に国王令が出るまで、年単位の時間がかかることも珍しくない。

だがＡＵＨ国営石油会社総裁に権限移譲されていれば、社内手続きだけで決裁可能だ、総裁が不在でなければ、その日のうちに署名が可能である。

私は「コヨーデさん、念のために聞くけれどＱＡ側との調整は、三者会議までに終わるんでしょうね。」と聞いた。すると「ガスの取り扱いが残っているんだ。ハッシ・バーミ油田の随伴ガス（原油生産に伴って生産されるガスを指す）の権利はＡＵＨとＱＡで折半することで合意しているんだけど、詳細が固まっていない」とコヨーデ氏は言う。

石油の権利は利権契約によって産油国と会社の取り分が決まっているが、随伴ガスの権利はすべて産油国に属する。つまり随伴ガスの処分と利益配分はユニーク・オイル抜きでＡＵＨとＱＡが取り決める必要がある。

歴史的に随伴ガスはすべてＡＵＨに送られ、液化天然ガス（ＬＮＧ）の原料となって、そのＬＮＧは日本の電力会社に納入されている。だが、ＡＵＨはＱＡにまったく金銭補償していなかった。過去に何度もＱＡはＡＵＨに補償を求めたが、ＡＵＨはハッシ・バーミ油田の随伴ガスは硫黄分が多く脱硫処理に費用がかかることを理由に、応じてこなかったことを私は知っていた。

私は言った。

「それに関しては、国同士が話し合うべき事案なので、権利のない民間会社が口をはさむことはできないことはわかっている。でも、昔からＡＵＨがガスの全量を金銭的な補償なしに利用していることに対し、ＱＡが不満を持っていることは知っているでしょ。ＱＡ国営石油会社のシェリダＣＥＯが『ハッシ・バーミ油田利権更新後は、ＡＵＨに随伴ガスのただ飯は絶対食わせない』と言ったのをこの耳で聞いたことがありますよ。随伴ガスの扱いを公平かつリーズナブルにしなければ、肝心の利権契約自体が暗礁に乗り上げてしまいかねないので、十分考慮してくださいよ」

あまりに私の声が真剣なので、コヨーデ氏もいたずら心が生まれたのかもしれない。

「ナカムラ、わかっているよ。ＱＡがそんなにガスがほしいというなら、毎日、ＬＮＧ出荷場所まで取りに来るようにと契約書に書き込むか」と言った。私も冗談とわかっていたが「そんなこと言っちゃだめだ、まじめに対応してくださいよ」とムキになって念押しするほど、AUH国営石油会社はこの件を安易に捉えているのではないかと、不安になった。

コヨーデ氏との確認の連絡を終えると、次にハミッド氏に電話を入れ、QAは、契約書に誰が署名するのか確認したところ、やはり国王ではなく、QA国営石油会社のシェリダCEOだと返答があり、これで大丈夫だとようやく私は、胸をなでおろした。

## 回想

シェラトンホテルの中二階にはメンバーが利用できる専用ラウンジがある。

朝食は日本でいう一階のグランドフロアにあるレストランで、ビュッフェ・スタイルで提供される。品数が多く毎日食べても飽きることはないが、多くの人たちが利用するので騒がしい。一人で静かに考えごとをしたい時は、専用ラウンジを利用する。専用ラウンジでは、昼に軽食、夕方は品数は限られるが料理と時間限定だが酒も提供され、すべて宿泊料に含まれている。

私はほとんど毎日、ラウンジに入りびたりとなって、日々刻刻変化する状況を整理しながら次の対応を考えていた。複数の人間が担当していれば相談もできるし、ラウンジで雑談をして気を紛らわせることができるが、私ひとりで交渉しているので相談相手もおらず、実に孤独感に苛まれる。それもあって、夜はどうしても酒の量が増える。

おかげでラウンジのスタッフとも馴染みとなった、座ると黙ってウイスキー・ダブルの水割りを運んできてくれる。この夜、一人、グラスを片手に、これまでの交渉を静かに振り返ってみた。

毎年六月と十二月に開催されるハッシ・バーミ社の取締役会には、わが社、ユニーク・オイルの役員が必ず出席する。その機会に私たちは産油国の石油行政のトップを訪問し、面談の都度ハッシ・バーミ社の操業状況を報告して、併せて二〇一八年三月に期限が到来する「ハッシ・バーミ油田の利権契約」の更新を要請することが慣例になっていた。

同業他社の事例で二〇一二年に更新した利権契約は、産油国との交渉には時間を要することはわかっていたが、契約残存期間が五年後に迫った二〇一三年三月の時点でも、まだ、利権契約更新の道筋は具体化されていなかった。

そこで、二〇一三年九月に社長が書簡を持参し、ハッシ・バーミ油田の利権契約延長を正式に要請したが、最初の交渉が行われたのは、翌年、二〇一四年六月だった。AUH国営石油会社とQA国営石油会社及びわが社がAUH国営石油会社の会議室に集まった。

この会議のなかで、両産油国から、ハッシ・バーミ油田の価値を最大化する技術提案書を提出するよう、要求された。社長が書簡で要請した新鉱区付与に関しては、AUH国営石油会社が権利を持つ区域の探鉱・地質データを開示してくれた。しかし、このデータを基に開発の可能性を時間をかけて技術検討をしてみたところ、三か所の有望な構造を発見したが、残念ながら商業生産が可能な規模ではなかった。

ハッシ・バーミ油田の利権契約に関しては、わが社の技術提案が満足すべき内容であれば、産油国は経済条件を提示すると、交渉の道筋を示してくれた。

この会議で示された交渉の進め方は「入札手順」に準拠していると理解したが、競争入札ではなく、単独の指名入札だと確信した。二か国に跨る油田開発と操業権を入札にかけても、新規参入者には開発と操業はむずかしいと両産油国も考えたのであろう。入札手順は、ハッシ・バーミ社の予算執行で熟知している。交渉の進め方には異論はない、技術提案が通れば、経済条件は現状維持を目指すだけだ。

二〇一四年当時は油価が一バレル当たり一〇〇ドルだったので、ユニーク・オイル株主の技術陣から協力を得て、大規模な設備投資によって生産量を極大化する案を策定し、二〇一五年四月に両産油国に提示した。

ところが、わが社が策定した開発案を両産油国に説明しているさなか、油価が四十三ドルにまで下落してしまった。技術提案書は産油国に対するコミットメント（約束）となるが、低油価では提案書の設備投資は実行不可能だ。開発計画は見直しを余儀なくされた。低迷する油価を前提とする、見直し開発案を二〇一六年五月にＡＵＨ国営石油会社とＱＡ国営石油会社に再提出して、見直し案の内容説明と質疑応答を行った。

度重なる説明会を経て、二〇一六年九月に、ようやく両産油国は技術提案書を承認した。次は経済条件だ。両産油国から先に提示されると、交渉が難しくなると考え、両産油国の了承を得てわが社が経済条件を提案することにした。わが社で提示案を策定し、ユニーク・オイル株主の承認手続きを経て、両産油国に提示したのが同年十一月であった。この間、QA国営石油会社のシェリダCEOからクレームを受ける出来事もあった。

ある日、シェリダCEOがQA国首長から、突然、呼び出しを受けたという。首長が外遊中に日本の総理大臣からハッシ・バーミ油田の利権更新をよろしくと言われたが、何のことかわからなかった、この件の状況を報告せよと下命を受けたとのこと。シェリダCEOは、わが社に怒りをぶつけた。

CEOは「利権更新はビジネスだ、政治家を巻き込むような進め方をすると、交渉を打ち切りにする」と宣告した。わが社は、押っ取り刀で経済産業省や外務省に確認したが、そのような事実は確認できなかった。真偽のほどは不明のままだ。だが、石油利権契約の意義の大きさを今さらながら実感した。

契約更新は必ず成し遂げなくてはと気を引き締め直したことを思い出した。思い起こせば、この段階で最初に要請してからすでに三年以上も経過している。ずいぶんと時間がかかったが怠慢によるものではない、時間がかかるのは覚悟していた。

事態が一変したのが、二〇一七年六月四日の国交断絶だ。そして、その後はまるで悪夢のような日々が続いた。

私はＡＵＨ国営石油会社の求めに応じ、ＱＡ国営石油会社との仲介者としてＡＵＨとＱＡを何度行き来したことか。飛行機で一時間の距離だったＡＵＨとＱＡは、直行便の廃止によりＯＭのＭＣＴまたはＫＷで乗り換えを余儀なくされ、一日がかりの距離になってしまった。

私は、グラスを一気にあけ、バーテンダーの前に差し出し、ダブルの水割りをもう一杯オーダーした。

膠着状態に陥った交渉で、ＡＵＨ国営石油会社の対応に大きな変化が現れた。何と国交断絶を宣言したＡＵＨ側から経済条件の提示があったのだ。

最近の事例から、産油国側が強気の交渉をしてくると警戒していたので、かなり無理難題を吹っ掛けられるかと思いきや、わが社やわが社の株主にとって受け入れ可能な内容だった。私はＱＡ国営石油会社のハミッド氏に、情報共有と経済条件提示を催促するためＡＵＨ国営石油会社の提示した条件を報告した。

ところが、この情報提供がＱＡ側を怒らせてしまった。

国境に跨る共同所有の海上油田なのだから、ＡＵＨ国営石油会社がＱＡ国営石油会社に断りなく、勝手にわが社に経済条件を提示するとは何事か、そのやり方が気に入らない。まず両国営石油会社が話し合い、合意が形成されて初めて提示すべきだったと言う、極めてもっともな論理である。

だが、国交断絶下においてＡＵＨ国営石油会社はＱＡ国営石油会社と協議できない。ＱＡ国営石油会社は国交断絶とビジネスは別だ、協議が必要な時は協議するのが当然だという。最初から同じ土俵でないのは明らかだ。困ったことに、この情報提供によってＱＡ側は強硬路線に転じてしまった。利権契約期限までに合意できなければ「操業と生産停止を命ずる」と言い出した。ＡＵＨ国営石油会社が直接対話に応じないことに最後の切り札を切ったのだ。国交断絶すると、これまでの関係はご破産になってしまうことを痛感した瞬間だった。

そうは言っても、生産停止は、わが社も黙っているわけにはいかない。もしＱＡ国営石油会社が言うように、契約失効に同時に生産停止すれば、利権契約更新の前提が崩れてしまう。

老朽化が進んだ油田は、一端、生産を停止すると停止前の生産量に回復することはむずかしい。停止期間にもよるが、契約期間中に生産が可能な量は確実に減少して経済性を圧迫する。経済条件が現状維持でもむずかしい、契約更新どころか、事業撤退が現実味を帯びてくる。

万一、撤退となればどうなるか。

現契約では、会社は撤退時に産油国に油田施設を無償で引き渡すことになっている。両産油国は引き渡された施設を使い、自らまたは第三者に委託して生産を継続するか、あるいは、生産を終了して施設を撤去するか、それは産油国自身が決めることだ。

生産を終了し施設の撤去を決定しても、わが社に法的な撤去義務はない。国交断絶中のＡＵＨとＱＡは、生産しようにも、施設を撤去しようにも、両国が協議しなくては決められない。

協議ができなければ、結局、施設は放置せざるを得なくなる。そうなれば、環境リスクが大きくなることを説明した。

問題の大きさをＡＵＨ側は認識してくれた。契約を暫定延長しても構わない、何が何でも利権契約を更新して、生産停止による環境リスクだけは回避してくれ。万一、ＱＡ側の要求通り生産停止となって、施設の撤去が必要になる事態となれば、費用はすべてＡＵＨが負担するから協力してほしいと、ほとんどわが社に泣きつかんばかりであった。

だが、一方のＱＡ側の対応は強硬だった。

たとえ、どんなリスクがあろうと一切構わない、契約更新が間に合わず現契約が失効したら、即時に生産停止という自分たちの意思はまったく変わらないと言う。わが社に施設撤去の法的義務がないことを説明すると、では二度とＱＡで仕事をすることは認めない、と言い放った。

国交断絶中の両国海域に跨る油田の施設、仮に自国の領海内の施設のみ解体しようとしても、油田施設は複合施設、相手の領海に入らずに撤去作業はできない。すると放置された施設は朽ち果て、装置も壊れ、何れは坑井が腐食し原油とガスが暴噴を始める、何かのきっかけで大規模火災が発生、環境汚濁が広がるという、最悪の事態が起きることは容易に想定できる。

ハッシ・バーミ油田の随伴ガスは、致死量の一〇〇倍以上の硫化水素を含んでいる、火がつけば硫酸となり猛毒に変わりない。最悪の事態の収束は容易ではない。こんなシナリオは考えたくもない。

バーテンから届いたウイスキーを、また喉に放り込んだ。このままでは、頑なQA国営石油会社のせいでアル中になってしまう、と独り愚痴を言った。ついつい飲みすぎてしまったようだった。

## あと二週間

二月二十日火曜日。AUH国営石油会社とQA国営石油会社に対し、各社が選任した弁護士とわが社による三者会議を二月二十六日にAUHで開催したいとメールで申し入れた。

こうしたメールも交渉をするうえでは、決して疎かにしてはいけない。

たとえそれまで、何度も口頭で伝えていても、多くの人間が関わることなので、必ず文書による通知として残すこと、情報共有のうえで、これは絶対に必要だ。

私は、この交渉に関して、電話のやり取りもすべてメモを作成している。いざという時になって「言った、言わない」は致命的だ。

ビジネスの常識では重要な交渉をする時は複数の人間が同席するが、両国営石油会社の指名で、私一人が交渉している。単独で交渉という、ビジネスの常識を外れているからこそ、メモを残すという基本は忠実に守っていた。

翌二月二十一日水曜日。QA国営石油会社のハミッド氏に電話を入れ、状況を確認しようと何度も試みたが、彼も多忙だ。なかなか時間の都合がつかず、会って話ができない。ハミッド氏から折り返し、電話があった。それによれば、

「経済条件についてＱＡ国営石油会社とＡＵＨ国営石油会社は合意した。ただし、契約書案は未だ調整が済んでいない箇所がある。各社選任弁護士とユニーク・オイルによる三者会議の開催は同意するが、場所はＡＵＨではなく、ＱＡ開催を提案する」とのこと。

私もハミッド氏に要請した。

「経済条件が合意されたのであれば、すぐにも開示してほしい。何度も言っているが、わが社も株主も条件を確認し、機関決定の手続きに必要な日数を確保することが必要だ。提示された経済条件に、わが社として、交渉すべき内容があれば、交渉に要する時間もさらに必要だ。だから両国で合意した条件を一刻も早く開示してほしい」

さらに開催場所について、

「三者会議の開催場所は公平さと中立性を考えて、最初は第三国のシンガポールや選任弁護士の事務所があるロンドン、あるいは中立国ＯＭのＭＣＴを候補地と考えていた。残された時間を考えると、本国に確認が必要になった場合に、時差などで対処が困難な第三国での開催は避けるべきだと思う、貴方の提案には異存ない。だがＡＵＨ国営石油会社にはＡＵＨ開催をすでに提案している。彼らが同意すれば、ＱＡ国営石油会社の提案通りＤＯＨ開催で確定できる。私の方で、シェラトンホテルの会議室を予約しておくよ」

ハミッド氏が社内でどう伝えるかわからないが、ともあれ事は急がなければいけない。私はハミッド氏との電話を切ると、すぐにコヨーデ氏に電話を入れた。

「ＡＵＨ国営石油会社とＱＡ国営石油会社は経済条件に合意したと、ハミッドさんから聞いたけれど、その内容を教えてもらえないだろうか」

と伝えると、コヨーデ氏は

「経済条件の内容は二月八日にメールで送った通りだ」と答えてくれた。

コヨーデ氏からメールで受領した経済条件は、すでにわが社とその株主に送ってある。その条件が飲めるか飲めないか、早急に検討を要請しよう。私はコヨーデ氏に続けた。

「ありがとうございました。これで弊社と株主は検討と社内手続きを始められる。あと、三者会議の開催場所ですが、ＱＡ国営石油会社はＤＯＨで開催したいと言ってきた。ＡＵＨ国営石油会社はＱＡ開催に異論ありますか」

するとコヨーデ氏は、

「こればかりは私の一存では決められない、社内に諮ってみる」と返答した。この日はこれで終わった。

二月二十二日木曜日。相変わらず進捗を確認することしかできず、悶々とした日が続いていた。

この日、ＤＯＨは週末だ。何か進展があったか期待してＱＡ国営石油会社に電話を入れたが、ハミッド氏は多忙で会えない。ベイケル氏に会う約束をとって進捗状況を確認した。

聞けば、契約書案については、ほぼ完了したとのこと。だが、経済条件は経理部門から何かを指摘され、その点に関してAUH国営石油会社と協議しなければならないという。

「え、まだ何か協議が必要な内容があるんですか？ もう、期限まで二週間を切ってますよ。一体いつまで時間をかければ気が済むんですか」と文句を言うと、ベイケル氏は「協議はそんなに時間がかからない、と聞いている。要は細かいところの確認だけだと思う。二十六日に協議してAUH側が合意すれば、二十七日には経済条件をすべて開示できるはずだ。三者会議は二十七日から開催できると思う」と申しわけなさそうに話してくれた。

よく考えてみれば、このベイケル氏も経済担当チームから情報をもらい、私に伝えるだけの役目だ。私も気の毒になって「文句を言ってすみませんでした。でもなぜAUH側との協議が二十六日なんですかね。今日はまだ二十二日なのに、もっと早くできないんですか？」と聞いた。

すると一段と申しわけなさそうに「明日、明後日は金曜と土曜でわが社は休み、二十五日の日曜は、わが社はやっているが、弁護士がいるロンドンの法律事務所は休み、だから二十六日」という。お宅の弁護士たちは事の重大性がわかっているのか、休んでいる暇なんかないだろう、と腹が立った。しかしベイケル氏に当たり散らすのは申しわけない。経済担当チームに文句を言うべきだが、社内でも隔離された場所にいるので部外者には手の出しようがない。私は努めて冷静に返答した。

「わかりました。わが社はすぐにでも対応できるよう、ＡＵＨに技術と経済・法務担当、法務の専門家を待機させている。今の話を踏まえて、二十六日中にＤＯＨに集結するよう手配します。これ以上遅れることがないよう、ＱＡ国営石油会社の全関係者に周知徹底してもらいたい」

と伝えた。

「了解。経済担当チームや法務部門など関係部署に伝えておきます」とベイケル氏は返答した。何とか私を助けたいという、誠実な気持ちだけは、私に伝わってきた。

## 報告

ここまでＡＵＨ国営石油会社とＱＡ国営石油会社の動きについて、詳しく書いてきたが、当然のことながら、わが社も、私が逐一報告している情報をもとに動いている。

二月二十三日金曜日。東京・大手町にあるユニーク・オイルの本社会議室には、役員と株主代表者がすでに早くから集まっていた。

私はＱＡ国ＤＯＨのシェラトンホテルの部屋と本社会議室を電話で繋ぎ、会議を始めた。これまでずっと、些細な動きや情報があれば、そのつどメールで本社に連絡していたが、スピーカーフォンを使って話を進めていくうち、本社にこれまで伝えた内容が、必ずしも正確に理解されていない点があることに気がついた。

簡潔にポイントを絞ったメールだったので、言葉足らずになっていたのだろう。これまで送ったメールの内容を思い出しながら、お互いの理解に齟齬がないか慎重に確認することにした。

残り時間はない。思い違いやするべきことを失念するなど、許されないからである。なにしろ、この契約更新手続きを失敗すれば、会社が消滅するかもしれないのだから。私がていねいにこれまでの経緯を確認した後で、これからの予定を説明した。

「まず、本日から三日後の二月二十六日に交渉チームは法務スタッフ、弁護士とともにDOHに集結する。並行して、同日に行われる予定の、選任弁護士を通じたAUH国営石油会社とQA国営石油会社の協議結果を確認する予定。ここまで問題ありませんね」

「次に、AUH国営石油会社とQA国営石油会社の合意が確認でき次第、経済条件と契約書案の提示を要請する。入手出来たら速やかに本社に送付するので、本社とわが社の株主は経済条件や契約書案の内容を精査し、受け入れの可否をできるだけ早く判断していただきたい。AUH国営石油会社は、経済条件は二月八日に連絡した通りと言っていたので、暫定的にこの内容で検討を進めていただきたい」

また三者会議の開催について、日程、時間、場所、出席者などが確定したら、改めてメールすることも伝え、特にこれといった質問や反論も出ぬまま、これからの行動計画と理解の共有を確認して電話会議を終えた。

二月二十四日土曜日。利権契約が失効するまであと十二日しかない。

この日はＱＡ国営石油会社もＡＵＨ国営石油会社も休みで動きはないが、自分でできることを探した。しかし、相手がいなければ大したこともできない。ホテルの営業部門を呼び出し、三者会議に使う部屋を予約した。二十人程度が入れる会議室だ。インターネット接続を確認し、電話会議ができるよう器機を設置した。

だがこれ以上の作業はできない。やることがなくなった。私は部屋で休もうと思ったが、気が高ぶって心も体も休まらない。

部屋を出てホテルのプライベートビーチを散策した。強い日差し、青い海、白い波がしら。夾竹桃の花が潮風に揺れていた。ビーチではＱＡ在住の欧米人親子だろうか、楽しそうに遊んでいる。私は一人ビーチに備え付けられているベンチに座り、ぼんやりと行き過ぎる人たちを眺めていたが、この場所は、自分の存在は浮いていると気がついて部屋に戻り、これまで報告したメールを読み返して、時間を過ごすしか方法がなかった。

## 逸る心

さあ、いよいよラストスパートだ。

二月二十五日日曜日。ＱＡ国営石油会社の営業時間は政府機関と同じで朝六時三十分から始まり十四時三十分までだ。昼休みがない連続勤務だが、社員は十時ころに適宜、軽食を摂っている。民間企業が多く取り入れている七時から十二時、四時から七時までの二部制と勤務時間は同じだが、二度出勤する手間がないので時間を有効に使うことができる。官尊民卑が当たり前の時代は、政府機関は民間企業の午前の部だけで終わりにしてしまう、ということも珍しくなかった。

日本の企業文化では、違和感のある就業時間だが、猛暑対策、あるいは日の入りが一日の始まりというイスラム教に則った生活に合うからだと言われている。

だが今は、ＱＡ国営石油会社もＡＵＨ国営石油会社もトップが猛烈な仕事人間で、夕方の六時、七時まで働くので、部下は先に帰ることもできず、毎日十二時間以上も仕事をしている。私は朝食を終え、朝七時になるのを待って電話を入れたが、ハミッド氏は、早朝にもかかわらず、すでに会議に出席中で捕まらない。

幸い、ベイケル氏に電話がつながった。聞けば、ＱＡ国営石油会社は先週末から特に動きはなく、予定は変わらないという。ベイケル氏は動きがないと言うけれど、居ても立ってもいられない私は、「ちょっと話があるので、そちらに行っていいかな」と聞くと「ああ、いいですよ、十時ではどうですか」と言ってくれた。

もちろん、特別な話などあるわけもない。前々日、前日と休みだったので、私の心が逸っているだけのことであった。

十時にベイケル氏の事務所に行った。ＡＵＨ国営石油会社もそうだが、ＱＡ国営石油会社も欧米風の事務所で個人部屋だ。日本のような大部屋スタイルではないので、親しい関係だと落ち着いて話ができる。ベイケル氏は自分の部下のエルサーダ氏を同席させた。石油大臣と同じ名前だ。

エルサーダ氏は三十代前半、名前から分かるようにエルサーダ石油大臣に近い縁者で、ハッシ・バーミ社の技術諮問委員会のメンバーになっている。ベイケル氏は彼を横目で見ながら、こう言った。

「自分はもうすぐ六十歳、早く引退して悠々自適の生活を楽しみたい。ここにいるエルサーダに仕事を引継げば辞められる。そう思って、もうひと頑張りしているんだ」

横で微笑んでいるエルサーダ氏は、温厚で優秀な石油工学エンジニアだ。私はこれまで多くの国民社員を見てきたが「これは出世しそうだ」と感じた人は、後に間違いなく出世した。

恵まれた経済環境のＱＡは、望めば国費あるいは企業がスポンサーとなって海外に留学できる。イギリスやアメリカの有名大学でまじめに勉強して、卒業後は自分の祖国を支えるエリート人材になる。昨今は若年層の人口が増え競争社会になってきているので、若い国民社員は一層勤勉だ。日本でも言われているが「高学歴は経済力の賜物」を実践している。

優秀な人間が続々とＱＡ国営石油会社に入社するので、ハッシ・バーミ社で勤務する日本人はうかうかしていられない。ＱＡは実力社会なので、若くても優秀な人間は選抜され、エリート教育を受けてどんどん昇進、昇格する。エルサーダ氏はその一人だ。優秀なのはもちろんだが、何より人柄がよい。さすが、エルサーダ大臣の親族だ。エルサーダ氏は、間違いなく、将来はＱＡ国営石油会社の要職に就くことになるだろう。

若きエリート、エルサーダ氏を前に、ベイケル氏は、突然私に向かってこんなことを言った。

「ナカムラ、君はこの利権契約の更新の話が無事終わった後はどうするんだ」

私は、答えた。

「これが自分にとって最後の仕事だ。無事に任務を達成した後は、会社を辞めて楽隠居するつもりだよ、老兵は去るのみだ」

ベイケル氏は微笑みながら言った。

「そうか、それはうらやましいなあ。自分も会社に早期退職を申し入れて楽隠居しようと思ったが、会社に認めてもらえなかった。会社がようやく私の退職を認めてくれた時は、体はボロボロ、すぐに体調を崩して病院に直行、そこで一巻の終わりとならないよう願っているんだ。うちの会社はそう簡単に辞めさせてくれないからな」

そして真面目な顔になり、こう続けた。

「ナカムラ、あなたはアーメド・ジャバルさんと仲がいいだろう。彼との関係をお金に換算するのは不謹慎な話だと思うが、ＱＡ人社会では彼のように王族に近い関係の人とは、いくらお金を払ってでも近づきたいと思う人はたくさんいるよ。楽隠居もいいけれど、せっかく持っているアーメド・ジャバルさんとの関係が生み出す価値を無駄にせず、次のビジネスに繋げることも考えてみたらどうだ？　僕だったら、そうするけどな」

「いや、ベイケルさん、今は契約更新が忙しくて、そんなことまったく考えられないよ。でも助言ありがとう。無事にこの契約が更新できたら、次の人生の目標として考えてみようかな、良い老後を過ごすためにお互い頑張りましょう」

若きエルサーダ氏は、ただ黙ってベイケル氏と私のやり取りを聞いていた。だが、彼は当然、自分の近い縁者のエルサーダ大臣と今話題になったアーメド・ジャバル氏の仲の良さは知っている私を見る目が変わったように見えたが錯覚だろうか。

## 兄弟

ホテルに戻って、今度はＡＵＨ国営石油会社のコヨーデ氏に電話を入れた。

ベイケル氏から確認できたが、ＱＡ側の情報だけでは不完全だからだ。両方から聞いた情報が一致してこそ、初めて正確な状況判断ができる。自分自身、疑い深いと思うが、これはＡＵＨとＱＡの仕事を通じて学んだ教訓でもある。

契約更新という大事な仕事を引き受けたからには、念には念を入れ、必ず裏を取らなければならない。もちろん、お互いうそはつかないという絶対的な信頼関係が大前提だ。

「コヨーデは、会議中で不在です」

とすっかり馴染みになったコヨーデ氏の秘書、アイシャが言った。アイシャさんに、コヨーデ氏が事務所に戻り次第、折り返し電話をもらえるよう頼んだ。すると五分も経たないうちに、ココーデ氏から電話があった。アイシャさんはココーデ氏から、私から電話があれば直ぐに報告しろと命じられていたのだろう、会議中のココーデ氏に私から電話があったことを直ぐに伝言したようだ。

ココーデ氏は会議を中断して折り返し電話してきた。ココーデ氏にとっても、今はハッシ・バーミ油田の利権契約更新は優先事項なのだろうが、彼のこうした気遣いは本当にありがたい。

私はココーデ氏に「折り返し電話をありがとう」と感謝の気持ちを伝え、QA国営石油会社から木曜日に聞いた情報を伝えたうえで、AUH国営石油会社の状況に変化がないか確認した。彼は、私が不安と焦りを感じていることをよく理解していた。電話口の向こうでこう言ってくれた。

「やあ、兄弟。大丈夫。気にすることはない。こっちは弁護士を通じて、今日、QA国営石油会社と協議する予定だ。先日、提案された三者会議をQAのDOHで開催することに、問題なしと社内で確認した。だが国交断絶しているので、AUH国営石油会社の社員は外国人であっても参加できないことを念押しされた。だから、選任弁護士のみ、ロンドンから出張して参加することになる。三者会議は、たぶん、今月の終わり、二十八日になるんじゃないかな」

「やあ、兄弟」はうれしかった。まさに国境を越えて、ましてこのアラブの世界で、東洋のはずれからやってきた異邦人の私を、兄弟のように思ってくれている。

私は親しみを込めて言った。

「ココーデさん、あなたと私は兄弟どころか、それ以上の関係だ。情報をありがとう、感謝します。ところで経済条件に関してはＡＵＨ国営石油会社とＱＡ国営石油会社の協議を待たなくてはいけないのはわかっているけど、契約書案はいつもらえるだろうか。うちの法務部や弁護士に一日も早く見せて検討させたいんだ」

「契約書案は法務部門が担当している。ほぼでき上がったという報告は受けているが、そんなに急ぐのなら、今ＤＯＨにいるんだろう、ＱＡ国営石油会社からもらうことはできないのか」

「ＱＡ国営石油会社の交渉窓口は、ココーデさんも知っている技術チームのハミッドさんで、彼は契約書案に関与していないんだ。契約書は、ＡＵＨ国営石油会社と同じように、経済担当チームの法務部門が担当していて、彼らはガードがとても固く、直接アプローチできなくて困っているんだ。うちの技術、経済・法務担当チームと弁護士たちが明日ＤＯＨに集結するんだけれど、契約書案が手に入らなければ弁護士たちは何もすることがなくなってしまう。ココーデさん、ＡＵＨ国営石油会社案で構わないので、契約書案を法務部門から入手して、私宛てに送ってもらえないかな。でなければ時間を無為に過ごしてしまう」

と私はココーデ氏に懇願した。

「そうだったな、わかったよ、ナカムラ。あなたが言うように、僕と君とは兄弟以上の関係だ。何とか契約書案は手に入れよう、メールで送ってあげるから、待っていてくれ」

ココーデ氏は快く請け負ってくれた。「兄弟以上」という言葉は、「戦友」のニュアンスに近いかもしれない。戦地を潜り抜けた、親兄弟より強い絆、ココーデ氏が私のことをそう思ってくれていることに感動を覚えた。

## 小作人

二月二十六日月曜日の夕刻。わが社の技術、経済・法務担当チームとイギリス人弁護士二人がシェラトンホテルに合流した。

孤軍奮闘していた私は、仲間が増えたことと、久々に日本語で話ができることに興奮を覚えた。彼らとこれまでの出来事を面白おかしく話しながら食事を一緒に楽しんだ後、専用ラウンジに集まり、一転して冷静に情報を共有した。

私のノートパソコンにＡＵＨ国営石油会社のココーデ氏からメールが届いたのは、打ち合わせを始めて間もなくのことであった。

メッセージには「ＡＵＨ国営石油会社の法務部門は、いまだＱＡ国営石油会社と契約書案を開示することに合意していないため、これはマル秘事項」とあり、待ちわびていたＡＵＨ国営石油会社の契約書案が添付してあった。

さすが兄弟以上の関係、約束は守ってくれた。もう夜八時を過ぎていたが、私はココーデ氏に電話を入れ、感謝の意を伝えた。契約書と言っても一枚の紙ではない。本契約書案が八十七ページ、契約に関する保証書十三ページの合計百ページだった。しかも、まだメールに添付されていないが経済条件書と支払い条項で約三十ページ、原油貯蔵と出荷に関する協定で六十ページ前後が追加されるはずだ。

私たちは早速、受け取った契約条文を読み始めた。

「ナカムラ、これまでずいぶん石油開発契約の法務チェックを担当してきたが、その経験から言うと、これだけの分量のチェックと産油国との確認や加筆修正作業は、最低でも二か月かかるよ。利権契約が失効するまで、今晩を入れても十一日しかない。とても間に合わない。産油国の法務部門の人間も同じだと思っているんじゃないかな。何とか最低限、必要な時間だけもらえるよう交渉できないかな」

ユニーク・オイルの株主J社で石油開発部門に勤務する社内弁護士のオーストラリア人アンソニーが口火を切った。彼は契約のスペシャリスト、契約の各条文を精査し、会社に不利益な内容が見つかれば変更すべく交渉する。会社にとり必要な条文があれば加筆修正を求める。

アンソニーに言われるまでもなく、二十年間拘束される産油国との契約書は、三か月ほどかけて練り上げるのが常識なのはわかっている。経済・法務担当のノモト氏がアンソニーに言った「アンソニーさん、その通りだと思うが、あと十日しかないんだ。嫌ならやめろというのが産油国のスタンス。我々会社側は可哀そうな小作人と同じなんだ。徹夜してでも、できることはすべてやろう。まずは優先事項と重要事項の確認から始めよう」

ノモト氏もまた、アンソニーと同じＪ社の社員で、いまはわが社、ユニーク・オイルに出向している。ノモト氏はこれまで何度も他のプロジェクトで、アンソニーとコンビを組んで契約を纏めてきた。私も自分なりに契約書は読んでみて、気づいた点は指摘するが、条文の精査と加筆修正の作業はアンソニー、イギリス人弁護士のリッチーとノモト氏の専門家たちに任せることにした。

それにしても、我々を「油田という名の田んぼを耕す小作人」とたとえたノモト氏の言葉は、私が常々、石油利権契約の本質を説明する時に使っていた言葉だ。ノモト氏もＪ社の石油開発プロジェクトで同じ思いをしていたことがわかった。

二月二十七日火曜日、朝方まで徹夜で作業していたノモト氏とアンソニーに進捗状況を確認した。すると、わが社が確認を要する優先事項と重要事項の洗い出しと条文の加筆修正案は、明日の夜までにまとめることができそうだと言う。

それを聞いて、私は早速動いた。焦って早く三者会議を開催するより、もう一日でも時間を取って開催日を三月一日に設定すれば、わが社もまた時間を無駄にせず加筆・修正協議が効率的にできると判断して、その旨をＡＵＨ国営石油会社とＱＡ国営石油会社に申し入れた。

三者会議の開催場所は、すでに予約してあったシェラトンホテルを提案したが、ＱＡ国営石油会社は保安上の理由等をあげて外部での開催に難色を示した。すぐさまＡＵＨ国営石油会社にＱＡ国営石油会社の意向を伝え、いまさら開催場所で揉めても仕方ないからと説得した。

そうした私の働きかけもあってＱＡ側の言い分が通り、三者会談の場所はＱＡ国営石油会社本社の経済・法務担当チーム会議室で、三月一日午前十時三十分から開催することが正式に決まった。

## 最終確認

二月二十八日水曜日。東京大手町のユニーク・オイル本社会議室に役員と株主の代表が集まり、シェラトンホテルに予約した会議室と結んで電話会議を行った。

決戦前の最後の交渉方針確認になる。

ＡＵＨ国営石油会社はすでに条件を提示しているが、ＱＡ国営石油会社はいまだ開示していない。ＱＡ国営石油会社とＡＵＨ国営石油会社が合意した経済条件が、すでにＡＵＨ国営石油会社から提示されている内容と同じであれば何も問題ない。

だがＱＡ国営石油会社が自らの意向を強硬に主張、ＡＵＨ国営石油会社がそれに合意していたならば、我々はまったく新しい条件を提示され、その場で判断を求められることになる。そうなったら、最悪の展開だ。

そのため、先方から厳しい要求があった場合、どこまでなら受け容れ可能なのか、予め決めておく必要がある。だが遠く離れた場所からの電話会議で、ＱＡ国営石油会社が言い出しそうな個別の条件を細かく想定し、その是非を論じても、正式な条件提示がない限り、所詮、結論は出ない。

万一、QA国営石油会社とAUH国営石油会社から思いもよらぬ条件提示があった場合は、経済性を試算できるエクセルシートを使って直ちにわが社の利益見込みを算出する。その利益見込みが、わが社としてここまでなら受け入れられるという限界値を上回る経済条件であれば、その場で応諾して差し支えないことを、本社役員と株主代表に確認した。

利権契約が失効するまでの限られた時間を考えれば、相手側の提示条件を、個別に、その都度、本社の意向を確認することはできないと判断してのことであった。

もはや、私たち現場に全権委任してもらうしか方策はなかった。

契約の条文については、株主から専門家である社内弁護士が派遣されている。電話会議に出席している役員や株主は法務は理解できるが、ディテールを議論できるエキスパートではないこともあって、「お任せします」に近かった。

しかし「株主を親会社保証の対象とすることだけは避けるように」との注文がついた。

そもそも石油開発はリスクの高い事業なので、株主各社は石油開発の事業をユニーク・オイルという別会社にすることで、株主のリスクを軽減させている。

株主が親会社として保証を要求されれば、連帯責任となって、株主もリスクを負うことになる。だから株主は親会社の対象にならないように交渉しろと言っているのだ。損失は、子会社の倒産で終結させたいという意図を明確に示した。

「わかりました。条文の加筆・修正の交渉では、株主が親会社保証の対象とならぬよう進めます」と伝えた。

こうして確認をとっていても、交渉は水ものだ。言い間違いや、思い違いをするかもしれない。交渉の最終的な結果責任は、私に降りかかってくる。誰も私の代わりを務めてくれる人はいない。交渉に失敗すれば、トカゲの尻尾切り、詰め腹を切らされる。何があってもおかしくない。

いよいよ期限は迫ってきた。あと残された日はわずか八日である。

しかも二日の休日を入れたら、勤務日ベースでは六日だ。

運命の一週間が明日、三月一日から始まる。大詰めの三者会議だ。

ＡＵＨ国営石油会社の選任弁護士は本当にＱＡ国営石油会社の会議室に現れるのだろうか、ＱＡ国営石油会社とＡＵＨ国営石油会社はどのような経済条件で合意したか、会議はどのような展開になるだろうか。

考えれば考えるほど不安とプレッシャーが募ってくる。

交渉に全力を尽くすのはもちろんだが、結果がすべてだ。

わが社は果たして存続できるだろうか、私にとっても正念場が刻一刻と近づいてきていた。

# 第二章

# シガリ

## 洋上勤務初日

その日、私はＡＵＨ島のヘリポートにいた。

今から三十六年前、一九八三年六月のことである。

すでに気温は五十度に近い。凄まじい熱気を攪拌するがごとく、ヘリコプターのローターはゆっくり、それでいて強く回転しはじめた。

ＡＵＨ島は、アラビア半島から、クリークと呼ばれる海の浅瀬を浚渫した水路で仕切られている。そのＡＵＨ島内の旧空港脇にヘリコプター基地があった。ＡＵＨ国の陸上と海上に大きく広がる油田の操業現場に向かう人たちがこの基地を利用する。

これから私が向かうハッシ・バーミ油田の洋上施設は、他の油田と同様に、準軍事施設の扱いとなっている。ヘリコプターに搭乗する男たちは一様に、その基地の入口で油田施設への訪問許可証であるセキュリティ・パスを提示し、プレハブの部屋で、自らの体重と手持ちの荷物を計量させられた。

ヘリコプターは米軍がベトナム戦争で使っていたベル２１２、パイロットを入れて十五人乗りで、二千五百キログラム程度の重量制限があるためである。特に、夏場はアラブ特有の熱気で空気の密度が薄くなり、エンジンの効率も下がるため、積載重量を減らす必要がある。計量は必須の手続きであった。

ヘリコプター内では乗客は救命胴衣を着用し、耳栓をするのがルールである。乗客のうち選ばれた一名は、機長と交信するため、ヘッドフォンを使用していた。

機内は、ヘリコプターの爆音で耳がまったく聞こえないので、乗客の一人がヘッドフォンで機長と連絡が取れるようにしているのである。ヘッドフォンを装着した男は、任務に忠実に、私たちが乗り込むと、乗客がシートベルトを着用し終わったことを機長に報告した。

二枚羽根のヘリコプター特有の音とローターの回転で機体は大きく揺れていたが、合図を確認した機長がローターを勢いよく回転させると、機体が安定し、間もなくフワッと浮き上がった。私たちを乗せたヘリコプターは、一気に灼熱のヘリポートを離陸した。

目の前のAUHの空は、まったく屈託もなく広く、熱気で蒸気に包まれているが、どこまでも青い。ヘリコプターは、高度を保ったまま五分間ほど時間をかけてAUH島上空を通過し、アラビア湾に入ると一直線にハッシ・バーミ油田を目指して飛んでいった。

見下ろせば、アラビア湾はずっと浅瀬が続き、エメラルド・グリーン、いや、もっと淡い翡翠のように澄んだ美しい緑色の海がどこまでも広がっていた。私はこれからAUH市から二百キロ、DOH市から百キロ離れた海上にあるハッシ・バーミ油田に初めて向かう。ハッシ・バーミ油田の操業基地となる洋上施設は、建設の最終段階であった。

AUHを飛び立ち、約一時間二十分ほど経過した時、眼下のアラビア湾に小さな島が見えてきた。ドス島だとすぐわかった。AUHから約百六十キロ離れたこの島は、地殻運動によって地下の塩塊が押し上げられてできたそうだ。だがこのドス島は単なる島ではない。一九八〇年代に、すでに約三千人の労働者が日夜働いていた。そして今ではその数が七千人にも膨れ上がっているという。

この日も巨大海上油田から生産された原油の貯蔵と出荷が行われ、フェンスで仕切られた区画では原油の随伴ガスを原料に液化天然ガスを製造するプラントの建設中だった。空の上から見下ろすと、島の周囲は護岸工事が行われ、港湾設備は完璧に浚渫されている。超大型タンカーが原油を満載して喫水が深くなっても入港できるように整備されていた。そのためKW、SA、QA等の各国積み出し基地から順繰りに原油を積載してきたタンカーが、最後に入港する港となっている。

ドス島は日本のエネルギーを支えている原油の巨大な出荷基地であるが、ハッシ・バーミ油田の原油もこの島から全量を日本に出荷している。ドス島を過ぎると、約十分ほどで、これから私が滞在することになる洋上の施設が見えてきた。

この洋上施設は、リビング・クゥオーター・プラットホーム（居住施設と操作室、屋上にヘリデッキ）、ウオーター・インジェクション・プラットホーム（海水を取り込み、濾過して地下三千メートルにある油層に海水を圧入する施設と発電機）、セントラル・コレクション・プラットホーム（油田に井戸を掘削して生産される原油を集め、原油と一緒に生産される随伴ガスと地層水を分離したうえでドス島に原油を送る施設）、ガス・スィートニング・プラットホーム（随伴ガスから硫黄分や二酸化炭素等の不純物を除去し発電機の燃料を作る施設）とフレア・スタック（余剰ガスを燃焼処理するタワー）の五基から成っている複合海上施設である。

施設の基本設計はシンガポールで行われ、日本、フランスやAUHなど、別々の場所で各プラットフォームは製作された。そして製作後、それぞれのプラットフォームは別々に台船に乗せられ、遥かインド洋などをタグボートに引かれて、ハッシ・バーミ油田まで運ばれてきた。

各プラットフォームは、すでに据えつけられていたジャケット（水深十五〜十八メートルの海底から海面まで組まれた櫓）の上に乗せられ、結合部を溶接する。巨大なユニット建設物だ。据え付け作業は、吊り上げ能力が二千五百トンもあるクレーンを積載した作業船で行われたが、タグボートによって八方に張られた作業船のアンカーは効果抜群で、壮大な吊り上げ作業中も、作業船はまったく揺れることはなかった。

クレーン船に吊り上げられた数千トンのプラットフォームがゆっくりと、そして微塵の狂いもなくジャケットに据え付けられる光景を見た時は、巨大な施設が精緻に仕上げられていることに驚き、据え付けが完了した時は感動を抑えられなかった。

私は、ユニーク・オイルに入社する以前は、国内プラントメーカーの一次下請企業で勤務していた。元請のプラントメーカーがシンガポールで、後にナショナルプロジェクトとなるエチレンプラント建設工事の幹事会社になったため、私がいた会社も受注を期待してシンガポールに現地法人を設立することになった。

私はたった一人で駐在員としてシンガポールに滞在し、現地法人事務所の立ち上げ業務に携わった。そして現地での営業活動でシェルやＢＰなどのメジャーと呼ばれる石油会社を訪問する機会があり、石油会社には原油を生産する上流部門と精製と販売の下流部門があることを知った。こうしたシンガポールでの事務所立ち上げ経験を買われて、ユニーク・オイルに採用されたのだが、中東はおろか、石油開発の基本的な知識すら何一つ持ち合わせていなかった。ハッシ・バーミ油田の洋上施設に間もなく到着する。だが不思議なことに、まだ若かった私は石油開発という仕事に不安はまったく感じなかった。むしろこれから何が起こり、それによってどうなるか、楽しみだと思っていた。

私はこの日からこの洋上複合施設に五か月の予定で、作業船に泊まり込むことになる。建設会社の作業船には、アメリカ人やアジア人作業員が五〇〇人以上も乗り組んでいるそうだ。私は発注者である会社側の総務部員として勤務を命じられている。しかし、私には、前任者もいなければ知人もいない。一体、何をすればよいのだろう。

繋ぎの作業着を身に着けている私は途方に暮れたが、未知の仕事に対する興味で一杯だった。ベル２１２が遂にハッシ・バーミ油田の建設現場に到着した。ヘリコプターが舞い降りたのは長さ二百メートル、幅三十メートルはある空母のような作業船のヘリポートだった。

ヘリポートから降りてもどこへ行けばよいのかわからない。辺りを見渡すと、すでに三基のプラットフォームがジャケットに設置されていた。

空母のような作業船は、各プラットフォームを繋ぎ込む作業とすでにプラットフォームに据えつけられていた機器類の作動確認をするため、洋上施設に横づけされていることがわかった。最初に見かけた作業員にハッシ・バーミ社の監督がいる場所を尋ね、その場所に向かった。作業船には小さな作業船が横付けされているが、他に何もなく四方八方を海に囲まれ、逃げる場所すらない。空母のような作業船と建設中の洋上施設が私の仕事場所だった。

二十六歳の夏であった。

## 洗礼

私がAUHとQAの国境に跨るハッシ・バーミ油田の操業を担うユニーク・オイルに入社したのは、この半年前、一九八三年一月のことであった。

シンガポールから帰国して一年後に、たまたま「石油開発会社の現地操業会社勤務者」を公募している新聞広告で見て、シンガポールで訪問したメジャー石油会社の記憶がよみがえり、応募を決めた。

ペーパー試験と複数回の面接を経て合格し、採用された。合格者は事務系一名、技術系一名の二人のみ。この同期の技術者と「ハッシ・バーミ油田の契約更新」という最後の大仕事を共に担うことになるとは、その時はまったく知る由もなかった。

私がユニーク・オイルの中途採用試験の受験を決めた一九八二年当時、転職は今ほど一般的ではなかった。したがって、私にとっては、かなり不安を抱えての入社であったが、いざ入社してみると、役員は当時の大株主であった日本興業銀行と三電力会社の出身者、社員はユニーク・オイルの株主からの出向者と、私と同様に公募で採用された社員で構成されていた。

公募で中途入社した社員が多く、違和感や疎外感を感じることはまったくなかった。入社後は総務部に配属され、ひと月もするとようやく会社の概要が見えてきた。

石油開発会社の業務は探鉱、開発、生産・操業とステージが進んでいくが、全職種の人材を抱えている会社は稀で、業務のステージに応じて必要な人材を株主会社等から出向派遣してもらうことが一般的だった。

私が入社したユニーク・オイルも同様で、株主や専門会社から多くの人材を受け入れてプロジェクトを進めていた。何より驚いたことは、技術・事務系とも東大卒の割合の多さであった。さすが日本興業銀行の旗振りで誕生した会社である。日本を代表する企業による奉加帳方式の株主構成、巨額の資金を要する自主開発原油事業とその意義を勘案すれば、各社がこぞって優秀な人材をこのユニーク・オイルに出向派遣することも当然だったのであろう。

たしかに、ニーズに応じた専門職集団という印象が見て取れた。私学出身で、公募採用の何の実績もない立場であった私であるが、他にも多くの公募採用された社員がいたことが幸いして、肩身の狭い思いや不安をまったく感じることはなかった。

入社して六か月後に、ユニーク・オイルが株主として資金提供しているＡＥ連邦ＡＵＨの現地操業会社ハッシ・バーミ社に出向を命じられた。

前の勤務先で入社一年後にシンガポールで事務所を設立した経験が評価されて、建設最終段階の現場に送り込もうと会社は考えたのかもしれない。ハッシ・バーミ社はアラビア湾にあるハッシ・バーミ油田の利権を持ち、原油の開発と生産操業することを目的に設立された会社である。当時は日本航空が就航していて、バンコックとムンバイを経由してAUHに到着したのは日付が変わろうとする時間だった。

私の就労ビザは、ハッシ・バーミ社の社員が、空港のロビーから透明の壁越しに投げ入れてくれた。機関銃を持った兵士が護衛している入国管理ブースに向かい、管理官にビザを差し出すと、管理官は『お前は何をしに来たのか』と言わんばかりの不機嫌そうな顔つきでビザを受け取り、必要以上に時間をかけて入国審査を行った。

ようやく入国が認められ、市内にあるハッシ・バーミ社の単身寮に到着したのは深夜だった。初めての中東、鮮烈な入国審査の経験に寝つかれず、うとうとし始めた明け方に、耳元でアラビア語の大きな声が聞こえ、驚いて飛び起きた。

モスクからイスラム教徒にお祈りの時間を呼びかけるアザーンだった。静寂な明け方のアザーンは、眠り続けられないくらい、大きく長く続いた。だが慣れとは恐ろしいもので、何時しかまったく気にせず眠れるようになった。

会社の勤務時間も日本とまったく違う。土曜日から水曜日までは朝七時から昼二時、昼休み休憩なしで七時間連続して働く。そして、木曜日は朝七時から昼十二時までで、金曜が休日だった。当時はたまたまラマダン月に当たっていたため、日の出から日没まで断食するイスラム教徒に配慮して勤務時間は二時間短縮されていた。

初出勤を終えて単身寮に戻り、移動の疲れで早くベッドに向かったが、日本との時差もあり夜中の一時過ぎに目が覚めた。すると窓の外で声が聞こえる。何かと思って覗いてみると、子供たちが空き地でサッカーをして遊んでいた。ラマダン中の生活は昼夜逆転すると教わったが、生活習慣が日本とまったく異なる場所に来たことを実感した。

会社では、総務部の同僚はイラク人とスーダン人で、その他に現地採用の部下が二十名程度。建設プロジェクト社員たちを含めても事務所全体で百五十人程度だった。

驚いたことに、彼ら社員の国籍は三十数か国にわたるだけでなく、何と国籍がない人まで存在していた。彼らの祖先は、アラビア半島内でベドウィンと呼ばれる遊牧民だったが、イギリス・フランスが談合して国境線を引いた結果、国籍を持たぬまま現在に至ったという部族民であった。彼らは所得税・住居費・医療費・教育費負担がないＡＥ連邦の国籍を取得しようとしていたが、簡単には認めて貰えなかった。

さらに驚いたのはアラブ人従業員の生年月日だ、ほとんど全員一月一日と申告していた。もともとイスラム暦のため、いわゆる西暦換算がむずかしいことと、日本のような戸籍制度がないため、どこでいつ生まれたかわからないとのことであった。

しかし、不思議なことに父親あるいは祖父の名前を言えば、どの部族に属し、どこに住んでいるかわかるということであった。ハッシ・バーミ社に出向して、私はいきなりアラブの文化のシャワーを一気に浴びた気がした。

そして、ハッシ・バーミ社の仕事やアラブの習慣に慣れる間もなく、着任後わずか十日で、現場であるアラビア湾ハッシ・バーミ油田の洋上施設を建設している現場に派遣されたのであった。

## 事務系一人

当時、この洋上施設で働く事務系社員は私ただ一人で、任務は多種多様であった。

そのなかでも主な仕事と言えば、無線室に陣取り、十数隻の錯綜する作業船への指示やヘリコプターとの交信とＡＵＨ本社事務所との連絡。そのヘリコプターの運行管理、さらには作業員たちの部屋割りから食事の世話等、現場における総務・庶務事項をすべて担当することになっていた。

ヘリコプターとの交信とひと言で言うが、その仕事ひとつとっても簡単なことではなかった。アマチュア無線の経験すらない。だが幸い、器機の動作確認のために来ていたメーカーのエンジニアから操作と交信方法を教えてもらうことができた。

だが本社とは二百キロ離れている、ちょっとでも気象条件が悪いと無線がＡＵＨまで届かない。無線機に向かってあらん限りの大声を出した。大型作業船に加え、掘削船（リグ）も当時二基稼働中だった。リグ一基には七十人程度の作業員が乗船していて、地下三千メートルにある油層まで掘削している。作業員交代のため、ヘリコプターは通常一日に二往復するが、時には日の出から日の入りまで三往復させなければならなかった。頻繁に作業員が勤務交代するため、誰が乗り、誰が降りたのか、把握することすら困難だった。

ある時、こんなことがあった。

ヘリコプターが私がいる洋上施設のヘリポートに着陸したので確認に行くと、降りてくるはずの十人が八人しかいない。残る二人はどこへ行ったのかと機長に聞いたが、二基のリグに立ち寄ってきたので、どこで何人降りたか、わからないと言う。

私はあわてて無線室に飛び込み、二基のリグと交信し、うちの施設に降りるべき作業員が二名、間違ってそちらで降りていないか問いただした。幸いなことに二人はすぐに見つかったので「今からヘリコプターが迎えに行くから」と指示して事なきを得た。

何しろハッシ・バーミ油田の施設は建設段階なので、初めての来訪者ばかりだから、こんなアクシデントは日常茶飯事だった。

プロジェクトは時が経てばいずれ終わる。各プラットフォームはブリッジで繋がれ、機器類の動作確認もようやく先が見えてきた。居住施設も使用できることが確認できたので、生産と装置運転を担当するハッシ・バーミ社の社員は居住施設に移動することになった。

すると新たな頭痛の種が出てきた、食事の手配だ。洋上施設の居住者は約八十名、日本人が六名、アラブ人が二十名程度、残りはインド人とスリランカ人という構成であった。したがって、ケータリングは日本食、アラブ食、インド食の三種の提供が必要だ。だが実際に出てきた食事は、私が考えていた食事とはまったく異なるものであった。

特に日本食はひどく、日本人の仲間たちから「こんなものが食えるか」と言われても仕方がないほどだった。ケイタリング会社に文句を言うと、日本食担当のコックはフィリピン人で、日本食の調理経験はない。かつて日本食レストランで皿洗いをしていただけの経歴とわかった。そんな男に日本食が作れるわけがない。

業者に文句を言ったが、業者自身も日本食は見たことがないという、埒が明かないので私は本社に助けを求め、市内の日本レストランからタイ人のコックを借りて急場をしのぐ始末だった。

業者も不慣れなら厨房設備も不具合が出て来る。食材も十日毎にコンテナでＡＵＨから十二時間かけて運び込んだが、船の電源が故障して冷蔵と冷凍食品がダメになってしまうなど問題が続出した。ケイタリングの例一つだけでもわかるように、何もないところから新しく物事を作り出す作業は、思いもしないトラブルが多く発生した。

私は、そのうち何が起きても驚かなくなっていった。しかし、日々発生するトラブルは即断即決で対処しなければならない。私の洋上施設勤務は、あたかも戦場のようであった。

## 監獄

洋上勤務者は、ＡＵＨでは人材が払底していたため、国外で採用することが多かった。採用先はインド、スリランカ、パレスチナ、エジプト、チュニジア、ソマリア、スーダン、ケニアなど。彼らをＡＵＨで面接すると、ＡＵＨ入国後六か月間は雇用ビザの申請ができないという実に不便な規則があったため、採用対象者の大使館を通じて彼らの本国でリクルート活動を行った。

おかげで、顔を見ればどの国の出身か、簡単に見分けがつく特技が身についたほどである。洋上勤務者は、日本人社員が勤める監督が四週勤務・四週休暇。オペレーターは六週勤務・三週休暇のサイクルであった。勤務は一日十二時間、四週または六週間連続で勤務した後、休暇は本国で過ごす。

普通は朝に会社へ行って夜には家に帰るが、洋上勤務は本国の自宅から洋上施設までが通勤、洋上施設で一か月連続で働き、洋上施設から本国の自宅に直接帰り、ひと月休む。家を出て会社で働き帰宅するサラリーマンの一日を、ふた月かけて完結する仕組みである。

ちなみにオペレーターの採用で気をつけていたことは、労務の観点でいえば協調性があることだが、そんな人材はなかなか見つからない。何より柔軟な性格であることを重視した。性格が荒かったり、気まぐれだったりすると事故が起こりやすいし、陸上と違い、いったん事故が起こると洋上施設は取り返しがつかないからである。

また採用基準として、周囲は海で何もない閉鎖環境でも精神的に耐えられることも重要な要素であった。もちろん、閉所恐怖症や施設は海上から二十数メートルの高さがあるので高所恐怖症は明らかに不向きだ。実際、夜に徘徊して、海に飛び込もうとする者も現れたことがあったが、こんな場合の対応は早い。ヘリコプターは一回の往復で百万円かかるが臨時便を要請して、即刻、陸上に戻した。

また苦情処理も私の仕事のひとつである。

作業員たちは、隔離された場所で、熱暑の中で働くストレスも加わるせいか、種々の不平不満を私にぶつけてきた。就労条件の不満は、雇用契約を結んだ時に交わした条件をていねいに説明すれば問題ない。それでも不満なら、これ以上働いていただかなくても結構、お引き取り下さいとなる。その苦情が、食事の質ではなく味であったり、人種や国籍の違いから出てくる文化に対する不満など、個人の嗜好や文化・宗教などに関わることになると、ひとつ対応を間違えると大変なことになる。

極端に言えば、食べ物ひとつで「差別された」と騒ぎだし、大暴動が起きる可能性がないとも限らない。数か月も洋上に閉じ込められ、自ら望んで契約したのに無理やり働かされていると錯覚する作業員の不平不満に対処するのが、私の仕事であった。

実際、ハッシ・バーミ油田の洋上施設に社員が居住し始めてすぐに、作業員たちは次々と私を困らせた。

この手の問題の解決には大事な法則がある。

例え悪平等な内容であったとしても、すべての人に公平であること。公平に徹することが、一番大切である。つまり、どんな人でも、どんな事情があろうとも、特別扱いしないことだ。万一、断っても拒否しても、しつこく粘る相手に根負け、あるいは面倒になって相手の言い分を認めてしまったら、間違いなく他の人も特例を求めてくる。

そうなるとエンドレス、洋上施設全体がコントロール不能になってしまうので、絶対に特例を認めてはいけない。

このAUHの生活は「監獄」のようだと表現した英国人がいたが、彼に言わせれば、洋上施設はまさに「監獄の中の監獄」になるだろう。

監獄に規律が何より大事だ。それにしても監獄という表現はあまりにひどいので、私なりの言い方でいうと、洋上施設勤務は外航船の勤務に似ている。

船長に相当する洋上施設の総監督がいて、航海士は施設の操業要員。その他、メンテナンス要員、通信担当、看護師や料理人、給仕や洗濯サービスなど、さまざまな種類の仕事人たちが数か月、海の上で行動をともにするのだから。そうした国際的な大型外国船では、船内で暴動が起きぬよう、当然のことながら、船長以下、規律が守られていると思うが、洋上施設もしかりで総監督以下、作業グループ毎にリーダーを決め規則やルールを守り規律が保たれている。規律が守れない社員がいれば、上司が本人に注意する、それでも繰り返せば総監督が注意し、それでも問題が収まらなければ労務担当者に通報することになる。

労務担当者である私は、事実関係を確認、両者の言い分を聞いて、総監督やリーダーの言い分に間違いがなければ、残念ながら該当者は辞めていただくことになる。

ＡＵＨの労働法は、労働組合活動を禁じている、労働者が弱い立場に見えるが、労働法で定める労働者の権利は手厚い。それでも不平不満を持つ社員は会社と団体交渉が認められており、総務部門や総支配人がその矢面に立つ。社員には産油国政府役人にコネを持つ者もいて、会社を飛び越えて陳情することもあり、ある日突然に、監督官庁から呼び出しを受けて事情聴取されることがあった。

会社にとっては、労務問題は大きな経営リスクとなるので、発生させないことが何よりだが、たとえ発生しても、素早い対応で問題を大きくしないことが重要である。

特に洋上施設の建設プロジェクト期間中は、少ない人数でいかに早く工事を完了するかが課題で、何か問題が発生すれば金で解決する。いわば金で時間を買っていた。

こうして、生産段階に移行し、多国籍の社員によって操業するようになり、種々の労務問題が発生するようになったが、操業初期は解決方法が確立していなかった。

## 多国籍労働者

洋上施設の日本人監督は、日本の製油所から来た人たちで、日本では組合員の立場で勤務していたこともあり、労務問題が発生した時に労働者の立場を支持することがあった。そうなると日本人同士が紛糾することになってしまう。外国人労働者も自分の味方をしてくれる監督を支持するので、万一こういう事態が起きれば、操業すら中止せざるを得なくなる可能性がある。

そこで私は監督たちと話し合った。日本人同士が腹を割って話し合い、信頼関係を築くことで、万一、問題が発生した時は協力して解決することを取り決めた。監督たちは日本の製油所で組織的に仕事をすることが身についており、現場で起きるトラブルに対する解決能力は目を見張るものがあった。お互いが立場と年齢を超えて、敬意を持って接することで、初めて信頼関係が築かれることを学ぶ機会でもあった。

ともあれ、労働争議を恐れることはなくなった。また「監獄」のなかで、意外に大変なのが食事に関する個人の嗜好であった。

日本でも地域によって味つけが違うが、アラブ人もインド人も同様である。それぞれの国や地域によって、当然のごとく、味の好みが違った。

労働法で雇用優先順位が一番のアラブ人と定義されるのは、単にイスラム教徒というだけでなく、アフリカ大陸のモロッコ、アルジェリア、チュニジア、リビア、エジプトの地中海沿いとエリトリア、エチオピア、スーダン、ソマリアの内陸部までである。

したがってアラブ人向けの料理とひと口に言っても、この広い地域に住む人たちが全員満足する食事を提供することは不可能であるのは歴然としている。

インド人もしかり、南部は辛い味を好むが、中部や北部はそうではない。文句を言い出したらきりがない問題をどう納得してもらうか。私にとって、そこが一番の大問題だった。

しかし、どう考えても名案は浮かばない。そういう時は、できることをするしかない。結論として、私が提案したのは、日本人の最大公約数の日本食、アラブ、インドも然りで、それぞれの最大公約数的な食事を提供することであった。

それを実現するために、市内のレストランでメニューを研究し、朝・昼・晩・夜食の一日四食の献立を決して重複しないように二週間分作り、食材のバラエティの豊富さをケータリング会社に要求した。この作業のおかげでアラブ料理とインド料理にはずいぶん詳しくなった。ちなみに、一食当たりの食材は、日本食が一番値段が高くインド料理が安い。

私が、この時、社員に伝えたのは「私たちは、最大公約数的な嗜好にあう料理を同じレベルと質で提供する」ことを約束し「誰がどの料理を食べても構わない」ことであった。

わかりやすく言えば、インド人が望めばアラブ料理や日本料理を選べるということであった。社員は選択肢があることで、料理の格差に対する不満が減少したが、食材の質や料理のでき栄えは簡単に不満が解消できなかった。

ケータリング会社とは一食いくらという契約を結んでいるため、ケータリング会社に質の向上を要求しても、消極的な対応をされることが多かった。まさにエンドレスな課題であったが、しつこくケータリング会社に要求を続け徐々に改善されていった。

洋上施設は娯楽設備が限られており、食事が唯一と言っていいほどの楽しみだ。そのことを自ら経験した私は、洋上勤務を離れて本社勤務になった後も、ケータリングや労務担当として、ほぼ毎月一度は泊りがけで洋上施設を訪れ、何でも相談に乗った。

毎日同じ顔触れの環境にいる洋上勤務者は、陸上から新しい情報を持って新顔がやって来たと、とても歓迎してくれた。イギリス人に「監獄の中の監獄」と呼ばれた洋上施設は、こうして、なんとか仕事ができる環境になっていった。

## 常識・非常識

ハッシ・バーミ社の会計年度は一月から十二月だが、仕事も会計年度に沿ったビジネスサイクルになっている。私も、このサイクルに合わせ、ハッシ・バーミ社の日本人社員として仕事をした。そして多くの日本人が誰でも味わうアラブの「洗礼」を受けた。

最初は中東の異文化である。日本ならこうなるはずだということが、中東ではまったく通じない。日本人は、するべき仕事であれば、徹夜してでも片づけようとするが、アラブの人たちは、退社時間になれば、するべき仕事があっても、さっさと帰宅してしまう。日本の常識は、アラブにとっては非常識なのだ。

その「戸惑い」が最初の「洗礼」。次が社内の共通語が英語だと言うこと。これもかなり苦痛だ。

そして三つ目が一番大変な「過去との整合性」である。

新しく赴任してきた日本人は「異文化」と「英語」は何とか耐えたとしても、この「過去との整合性」に参ってしまう。

「過去との整合性」をわかりやすく言えば、着任前に決定済みの事柄を尊重するということ。赴任時期と帰任時期は出向元である株主の事情により、引き継ぎ期間がほとんどないことも多かった。引継ぎ書に記載のないことは、同僚である現地雇用社員に確認するしかないが「私は決定に関与しておらず、決定に至る経緯もわからない」との言葉が返ってくる。

新赴任者は自ら膨大な資料を読んで経緯を調べざるを得ず、極端な場合は決定済みの案件を一からやり直さざるを得なかった。この無駄な作業と非効率さにストレスが溜まり、不満が募っていった。

実際、私に至っては前任者すらいなかった。私が赴任した当時は建設プロジェクト最終段階で、生産・操業を開始したばかり。従って会社を動かす仕組み作りから始めなければならず、どれだけ仕事をしても「これで終わり」ということはなかった。

アラブ人の同僚はいたが、十分な手伝いもしてくれず、同僚とうまくコミュニケーションも取れず、チームワークもなかった。まさに孤立無援であった。

社内を見渡しても、アラブ人はアラブ人同士で集まりアラビア語で話をしている。一方、日本人は日本人同士で固まっていた。

このような環境で、日本人の多くはアラブ人が嫌いになった。自分ファーストであり、人が困っていても助けてくれず、マイペースで怠け者、という印象しか持てなかったのである。

この頃の私は疑い深くなり、自分の目で、実際に見たこと以外は信じない。仕事もすべて自分でしなければ納得できなくなっていた。

だが、時が経つうちに、次第に考えが変わってきた。日本人はもっとアラブ人の世界に溶け込むべきだと考えたのである。その理由は、仕事の量が限界に達していたこともあるが、会社は組織的に仕事をすべきだ、という当たり前のことに気がついたのである。

では、どうすればよいか。日本人出向社員からの頼みごとは、私が処理することを止めて、スーダン人とイエメン人の部下に任せることにした。

日本人出向者は私に対して不満を述べたが、断固としてこの姿勢を貫き、仕事も「日本式」のやり方を改めた。それまで私はすべての仕事を一手に引受け、就業時間内に終わらなければ残業し、それでも残った仕事は家に持ち帰り、遅くまでかかってこなしていた。他の部署にいる日本人社員も私と同様に、遅くまで残業し休日出勤を続けていた。

これでは日本人だけで仕事が完結してしまい、せっかく雇った部下たちは仕事をせずに座っているだけの、お飾りのような存在になってしまう。この状態を変えるべきと考えた私は、自分がしてきた仕事を部下に振り分けたのである。もちろん、私がやった方が能率がいいに決まっていた。だが部下たちに「この会社は日本人のための会社ではない、すべての社員のものだ」

ということを理解して貰いたかったのである。

自分の会社だと自覚すれば、会社で知識を身につけ、会社のために働き、会社から感謝される、このことを実感してほしかったのである。だが、最初から順調にいかない。当時、部下たちは遅刻と早退を繰り返していた。そんな部下に大事な仕事は任せられない。なぜ、遅刻と早退を繰り返すのか、その理由を聞いた。

すると、定時に出勤してもすることがないと言う。私は「することがないのではない、定時に出勤しない人は信用されず、だから誰も仕事を頼まないのだ。社員から信頼されるよう、まず定時出勤するように」と勤務態度を変えるよう求めた。なかなか、私の言葉は理解されなかったが、諦めずに言い続けると、部下たちの遅刻と早退は徐々に減っていった。

それまで日本人出向者が相談してきた案件は、私ひとりで聞いていたが、それからは常に部下と一緒に聞いた。日本人出向者は、私だけなら日本語で済むものを、外国人の部下が一緒だから、英語で説明しなければならず、面倒に思っただろうが協力してくれた。

そして私は部下に依頼人の意図がきちんと理解できているか確認し、依頼人にどのタイミングで、どのようにコミュニケーションをとり、何をどう伝えるか、噛んで含めるように説明した。日本の会社では考えられない、信じられない話だと思われるかもしれないが、三十数か国の国籍の社員で構成されている会社は、ここまでする必要がある。

国籍が異なると、文化も違い、物事の判断基準も異なる。ハッシ・バーミ社で働く前にいた会社では、こういうやり方だったと言い張り、協調性のかけらもない。たとえ、会社の共通語である英語で会話が成立しても、同じ理解をしているとは限らない。多国籍社員の会社ならではの苦労であった。

私は手取り足取り部下に仕事を教え、仕事の基本を守ることの大切さを伝えたが、笛吹けど踊らず、柳に風で、なかなか私の考えは部下に浸透しなかった。それでも諦めずに辛抱強く続けた結果、ようやく軌道に乗ってきたのである。

## 鉄則

当時、二十代だった私がそこまで英断できたのは、上司であったオオヤマ部長のおかげであった。部長は、ユニーク・オイルに入社前、海運会社の企画部門で活躍されていた。海運不況時に会社の再建を担い、幸い軌道に乗ったところで自ら退職したと聞いた。

その部長から「総務労務の三つの鉄則」を教わった。それは、

（一）会社の決定事項を通達する時は、会社を代表していると思え

（二）区別はよいが、差別はするな

（三）言い方を間違えたとしても朝令暮改は絶対にするな。前もってポイントを整理し、言い方の順序、質疑応答まで準備しておけ。

そして、もうひとつ、素晴らしい言葉を授かった。

「仕事は単なる人生の一コマ、妬みや足の引っ張り合いで無駄な時間を使うことは愚の骨頂」という言葉であった。おそらく、ご自身が経験され、そして達観されての言葉だと思う。「いかに心豊かな楽しい時間を過ごせるか」と続く。私は今でも、この言葉が胸に刻まれている。会社勤めをしていれば、いろいろなことがある。苦しいことも嫌なことも、なかには絶対に許せないと思うこともあるだろう。

だが、自分の人生を考えたら、そんなことは人生のわずか一コマにしか過ぎない。そんなことを恨んでいる暇があったら、「どうしたら楽しく過ごせるか」を考えよう。みんなが「楽しく働けるにはどうしたらいいか」だけを考えて、毎日を過ごすこと。

これが人生で一番大事なことだ、と言うのである。当時の私の立場でいえば「部下の外国人たちをどうやって楽しく働かせるか」に直結することであった。

## 企業文化創生

産油国の石油会社には、国営と民間、規模の大小さまざまな形態があるが、共通点は多国籍の社員で構成され、「企業文化」が軍隊方式に近いことであろう。

株主からの出向者や産油国の学卒社員と外国籍の専門職が「士官」だとすると現地で採用した外国籍社員と産油国の中・高卒社員が担う、技能・事務の補助職は「兵隊」だ。

「兵隊」は勤務年数がどれだけ長くなっても「兵隊」のままで、士官の命令に常に従わなければならない。普通の会社でも役職によって序列が決まっているが、「士官」も同じ。だが、大きな違いはトップダウンが徹底していること。当然、身分によって福利厚生面でも明確に区別されている。当時、企業の中で配置転換がなく、給与も一定の幅の中で一端決まるとインフレがない限り昇給することはなかった。

つまり、中東の産油国では、採用された時の仕事と給料が退職するまで続く、極めて硬直的な制度であった。しかも、いったん退社すれば六か月間は、他の企業に就職するための就労ビザが出ない。まして、処遇に不満があって退職すれば、本国に帰国するしかない、だから我慢して働き続けざるを得ない仕組みになっていた。

産油国自体、国民の割合が二割で外国人が八割だ。少ない人口で国を安定させる方法が、この「企業文化」にも現れているのではないかと思う。

産油国政府の監督官庁から、私のポストのように産油国民に入れ替えろと言われ、簡単に交代出来ずに、勤務が長期化している日本人社員は他にもいた。

だが、技術者など交代許可が下りやすいポストであれば、赴任期間は短期間となった。出向元の株主によって違いがあるが、単身赴任であれば三年間、家族帯同では四年程度の人事ローテーションが一般的であった。

日本人社員たちの一部には、先に述べた三つの洗礼に辟易し「この国に来て、この会社で働いて何もいいことがなかった」と嘆いて任期を終える者もいた。また、現地雇用社員の中には、本国が紛争中で、両親や家族の安否を心配している者が多くいた。さらには、政府の方針で就労ビザが取り消され、会社を辞めざるを得ず、難民になってしまった人たちも多数いた。

この事実は辛かった。どんな事情を抱えていても、同じ会社の社員だ。だから「この会社で働くことが楽しい、幸せだ」と思える会社にしたい、と私は思った。

しかし、そのためには、どうしたらいいだろうか。思えば、ともすると労務問題を避けるため、高圧的な対応をとり社員の意見を封じ込めてきた。そこで、私は、逆に会社に対する要望や提案を聞く機会として、スタッフ・ミーティングの機会を設けた。

ミーティング終了後に軽食を提供して、社員たちとのコミュニケーションの場を作った。イソップ物語の「北風と太陽」のような話だが、社員たちには新鮮だったようだ。

ミーティングで、誰かが何か提案すれば、みんなで相談して意見を集約、やると決めたらすぐに実行した。最初、「いったいナカムラは何を始めるつもりだ」と懐疑的に見ていた社員も、徐々に心を開き参加者も増えて、社内に一体感が芽生えるようになった。

次に、私が意識したのは、日本の企業にも中東の企業にもない、ハッシ・バーミ社という多国籍企業の「企業文化」であった。

私は、総務の立場でどのような「企業文化」が望ましいか考えた。

日本人社員、産油国民社員、そして現地雇用外国人社員全員が「ハッシ・バーミ社で働いてよかった」と思える会社であることはもちろん、他の企業にはないハッシ・バーミ社独自の文化を創出することを目指そうと思った。

そのため何をすればよいだろうか。

国の規則は変えられない、だが「企業文化」は変えられる。配置転換を認め、業務の習熟度に応じて昇進・昇格し、それに連れて昇給する制度を提案したのである。

日本では当たり前の人事制度をハッシ・バーミ社の制度として明文化し、産油国民社員や外国籍社員に説明した。この制度の下、見習社員で入社した最下級の社員でも、理屈の上では最上級の職にまで昇給・昇格することが可能との説明に、徐々に増えてきた産油国民はもちろん、外国人労働者も喜んで受け入れた。

この制度のおかげで、自己都合退職社員は他社と比べてはるかに少なくなった。そして、社員全員の勤労意欲が高まったことはまちがいがなかった。おかげで徐々にではあるが、多くの人たちがお互い協力して働くようになったのであった。

次に私は「仕事の成果に対する評価」を金銭で報いる制度に変えるよう会社に提言した。

会社に貢献したという評価は仕事の成果によって一目瞭然だが、仕事の成果が表れなくても、仕事に取り組む姿勢を評価対象とするアイデアであった。

つまり、まじめに働けば成果に関わらず、給料が上がる仕組みにしたのである。もちろん、それは公平でなければならない。まして、給料の明細表を見せ合う現地雇用社員にとって「なんで、こいつは給料が多くもらえるのか」を、論理的に説明できる根拠がないといけない。

そのために、私は査定基準を設け、きちんと説明し、なぜAがBよりも同じ仕事をしていても査定がちがうか、納得いくまで話したのである。また仕事内容をきちんとさせるために、業務マニュアルも作成した。この作業には時間がかかった。

こうして、私がいなくても、部下に仕事を移管させる私の「あるべき姿プロジェクト」は、徐々に軌道に乗っていった。すると、どうだ。部下の顔つきが変わってきた。遅刻と早退を繰り返していた社員が、みるみるうちにやる気を出してきたのである。

次に驚いたのは、現地雇用社員が私を見る目であった。それまで、彼らは「自分たちは日本人のために働かされている、あるいは居てもいなくてもよい存在」と思っていたのだろう。

それが、どんどん、積極的になってきた。この段階になって、私はハッシ・バーミ社独特の「文化創出」を試みた。

社員の家族を含めたレクレーションを始めたのだ。日帰りの遠足等を企画し、実に多くの社員とその家族たちが集まり、週一日の休日を楽しんだ。実施したイベントは遠足や運動会、島の沖合にある無人島まで伝統的な帆がついた木造船のダウ船で行き、前もって砂浜に埋めておいたおもちゃやお菓子を探そうという宝島ツアーも企画した。埋めたお菓子とおもちゃの多くは、目印がないため見つからず、子供たちはがっかりしたが、代わりに砂浜でのバーベキューや食後の綱引きなどで楽しんだ。

これらの行事で社員同士のコミュニケーションの密度が高まったような気がした。家族のように困った時は一緒に問題を解決する、うれしい時は共に喜び悲しい時は慰める。家族なら当然することを、当然のように社員にもする。

そんな「企業文化」を持つ会社になったと思った瞬間だったが、錯覚だったのだろうか。

## シガリ

食べ物には苦労した話を書いたが、私が勤務したアラビア湾は、そんな私の努力に対して、素晴らしい贈物をくれた。

「シガリ」である。

十月頃、現地名「シガリ」(和名：ウチワエビ)が光を求めて海面に上がってくる。もともと何もなかった場所に、洋上施設やリグ、多くの作業船が煌々と明かりを照らしたものだから、「シガリ」は光につられて、大量に集まってきた。

シガリは、ロブスターよりもエビよりも旨いと個人的には思うが、寝る間もなかった建設プロジェクトのさなか、忙中閑あり、AUHからタモを取り寄せて、まるで蝉取りをしている少年のように夢中で、夜中じゅう掬い、皆で刺身にしたり、茹でて食べた。

それは、まさに洋上施設での夜の最高の楽しみになった。

この「シガリ」は、本社勤務の社員にも好評で「送ってくれ」との要望が多かった。

気のいい洋上勤務者は、タモではシガリ取りの効率が悪いと、漁網を発注し、それこそ一網打尽。冬に「シガリ」が海上に浮かび上がってくるのは産卵期の行動と聞いたことがあるが、そんな時期に大量に捕獲すれば全滅してしまう。

事実、数年後にシガリは激減してしまった。しかし、獲物は「シガリ」だけではなかった。何もない海域にジャケットを立てて、洋上施設を作ったせいか、魚にとっては、突然、漁礁ができたと感じたようで、多くの魚が住み着きそれを狙って大型の魚もやってきた。

海面には「ダツ」というサヨリを巨大にしたような肉食魚、その下にはアジやタイ類、海底には「ハムール」が生息していた。ハムールは日本の「ハタ」とか「クエ」の仲間だ。また、サメやイルカ、季節によってはシマアジが採れ、カツオやマグロも回遊してくる。

洋上勤務者たちは、今は社内規則で禁止されているが、操業開始した当時は制限していなかったので、暇さえあれば釣りを楽しんでいた。

## 戦場

よい話ばかりではない。

これまで触れていなかったが、私がハッシ・バーミ社に出向を命じられた時、アラビア半島はイラン・イラク戦争のさなかであった。

イラン・イラク戦争とは、イラン革命直後のイランとサダム・フセイン独裁下だったイラクとの宗教的対立と石油資源をめぐる紛争である。

両国の戦闘は、一九八〇年九月二十二日、イラク軍がイランの十の空軍基地を突然爆撃したことから始まった。先制攻撃が功を奏したことから、当初は圧倒的にイラクが優勢だったが、イランを支援するシリアがイラクのパイプラインを閉鎖したため、石油の輸出ができなくなったイラクが劣勢に陥り、イランが国境を越えバスラに迫ったのであった。

やがてアメリカ軍がイラクに軍事援助を行い、それに乗じたイラク軍が猛反撃。イラン原油の積出港であるペルシャ（アラビア）湾のカーグ島を空爆する事態になったのであった。

まさにアラビア湾が戦場になるというその時に、私は洋上勤務を命じられたのである。

事実、戦闘の激化に伴い、近隣施設が誤爆され、多数の死傷者が発生したという知らせが入ってきた。救出ヘリコプターがハッシ・バーミ油田の洋上施設で給油したことから、洋上勤務者は誤爆による死傷者を目のあたりにして、恐怖感に包まれた。

その後も機関銃を装備した高速ボートが、日本のタンカーを含む艦船を襲撃したり、浮遊機雷が洋上施設に接近するなど、アラビア湾は危険海域となり勤務者の動揺が広がった。

洋上勤務者の動揺を抑えるべく、私は労務担当者として何度も洋上施設を訪問した。ヘリコプターの運行会社は、現地の軍隊から「飛行中に不審船を発見したら、確認して報告せよ」との要請を受けたとのこと。

それを聞いた私は、洋上施設まで一時間半の飛行時間中は緊張し、ヘリコプターが船の確認のために降下した時は恐怖を覚えた。

自分が恐怖感を感じながら、洋上勤務者に「戦争の影響はないので安心して働いてほしい」とメッセージすることに、罪悪感を感じたのは言うまでもない。

## 禁固刑

私のはじめての洋上勤務は、六か月だけの予定だったが、事務所勤務に変わったことで、何と一九九〇年末まで七年六か月も続いた。

人は長い人生のなかで、出会うべき人に出会うべき時に出会う、という。

あの時、私も、半年で東京に戻っていたら、今の私はなかっただろう。

この時のアラビア湾の洋上勤務が後の私の「ライフワーク」の出発点になったのである。私の人生において、忘れることのできない洋上勤務が終わり、旧軍用ヘリで再びＡＵＨに戻り陸地に自らの足で立ったのは、旧空港のヘリポートを発って五か月後の一九八三年の十一月末のことであった。

それまで四方を海に囲まれた洋上施設で、日々の業務に追い回されていた毎日を思うと、陸上での生活は、地に足がついたというよりは、食事も素晴らしく酒も不自由なく、天国のように思われた。

そんな私を驚かせる「事件」が起こった。その年の十二月初旬、プロジェクト終了に伴い、日本に帰国する人たちの送別会が催された日のことだった。

私もプロジェクトが無事終了したことによる解放感と「監獄」を脱出できたことのうれしさで、送別会を大いに楽しんでいた。「事件」が起きたのは、その送別会の直後であった。

私たちがパーティーを開いて酒を飲んでいることを不快に思った近隣の地元住民が「日本人たちが集まって、酒を飲んで騒いでいる」と現地の警察に通報したのだ。もちろん、禁酒国なのはわかっている。送別会がお開きになり、私は帰国を予定する二人の社員とともに自宅に帰ろうという場面で、表通りは目立つから裏通りから帰ろうとした私たちの目の前に、パトカーが止まっていた。そして、帰国する予定の社員二人と私は警官に拘束されてしまった。

弁護士を呼ぶ暇もない。こうして私たちは、ひと晩、留置所で過ごす羽目になってしまったのである。しかし二人の帰国予定を変えるわけにいかず、翌朝、私が代表して自分のパスポートを預け、全員保釈され、二人は無事帰国することができた。

だが、私には過酷な運命が待ち受けていた。警察で飲酒の事実を認めたことで裁判となった。ちなみに、AE連邦AUHは飲酒に関して、隣国のSAと比較して緩やかだが、外国人といえども公の場所での飲酒は禁じられている。

イスラム教徒でない外国人は酒を購入できるが、警察が発行する購入許可証が必要で、購入可能な額は給与所得に比例するという規則があった。赴任してすぐに洋上勤務となった私は購入許可証を持っていなかった。

一か月後、法廷で、残された私一人の裁判が行われた。

私は素直に取調べに応じたし、会社側が弁護士も頼んでくれたので、情状酌量、厳重注意程度の判決で済むと思っていた。

だが、驚愕の展開となった。まず、会社が頼んでいた弁護士が出廷しなかった。弁護士不在の中で私は法廷の官吏から何度も呼び出しを受け、やむなく一人で出廷すると、裁判官は、私がなぜすぐに出廷しなかったのかと不機嫌そうに言い、飲酒の罪に加え、すでに帰国した二人（逃亡とみなされた）を幇助した罪で、何と一か月の禁固刑をアラビア語で言い渡したのだ。

官吏から英語で判決内容の説明を受けた私は目の前が真っ暗になり、その場にへたり込んでしまった。文化も知らず、言葉（アラビア語）も通じない牢獄にひと月も留置されると思うと、底知れない絶望感に襲われた。

その時、弁護士がようやく出廷してきた。彼は、弁護士が同席せずに判決を言い渡したことは不当で無効だと裁判官に必死で交渉した結果、何と判決は破棄され、再度裁判をすることになった。

だが裁判官の都合で何度も仕切り直しとなり、次回裁判は一か月先の二月下旬となった。大事なパスポートは裁判所が預かっていて、日本にも帰国できないし旅行もできない。一体いつになれば決着するのかわからない不安に苛まれた。

家族からなぜ帰国しないのか問われても、なんと事情を説明してよいか、途方に暮れた。

ようやく再裁判の日が決まった。

この日、私は弁護士が来るまで梃子でも動かないと決めた。禁固刑が確定したら直ちに収監されるかもしれない、念のため、洋上施設での生活と同じような準備をした。

弁護士とともに出廷した法廷で、裁判官は禁固刑ではなく、罰金刑を言い渡した。

私は心から安堵した。私は一刻も早くこの件に決着をつけようと、即座に、罰金を支払うと、その場でパスポートも返還された。禁固刑を免れ、晴れて帰国できる。

裁判が一件落着した翌月、一九八四年三月に一時帰国した私は、家族を帯同して再度ＡＵＨの地を踏んだのであった。

異国の風習を甘く見てはいけない。

アラブ諸国の会社で労務・総務担当を経験した日本人なら、こうした体験をされたことがあるかもしれないが、私にとっては、これがアラブ社会から浴びせられた厳しい洗礼であった。

# 第三章
# 石油と世界経済

## 石油とは

私は三十数年にわたり石油産業に携わってきた。

したがって、当然のことながら、私には石油に関しての知識はかなりあるが、意外にも一般の多くの人たちは、石油について、ガソリンや灯油の価格の動向以外は、あまり関心がないというのが、正直なところではないだろうか。

たとえば、突然小学生から「石油って、何？」と質問されたら、あなたは、いったいどう答えるだろうか。

「ストーブの燃料」、「車が走るためのガソリン」、「化学繊維のもと」や「エネルギーのひとつで、もしなければ、生活が不便になるもの」など、さまざまな答え方があるだろう。それらの質問の答えはどれも正解にはちがいないが、残念ながら、それらは、もちろん、答えのすべてではない。

ここでは改めて、「石油とは」という話からはじめたい。

では、「石油」という言葉は、いつ生まれたのだろうか。

明治以降になって欧米から初めて灯油が輸入された時、それまで灯油として利用していた菜種油などの植物油と区別するため「石油」と呼んだことで、灯油イコール石油というイメージが定着した。

だが、石油という名の商品は存在しない。

化学的には石油は炭化水素化合物であり、同じ化合物でも、炭素が一個のメタンを主成分とする天然ガス、三個・四個の液化石油ガス（プロパンガス）、数個から十個前後のガソリン、十数個の灯油、数十個から数百個のアスファルトまでにわけられる。さらにその形状も気体・液体・固体と多様である。炭化水素化合物が持つそれぞれの特性を生かして作られる、そうした幅広い製品の総称が「石油」なのである。

では、そもそも、石油はどのようにしてできたのであろうか。

諸説ある中で最も有力な説は、数百万年から数億年前に、プランクトンや藻類の遺骸が有機物として堆積し、バクテリアによって分解され腐食物質に変化する。その腐食物が石油になるのだが、それには条件がある。

その後の地殻変動で、この腐食物質を含む堆積層が地下三千～五千メートルに沈み込み滞留すると、高圧で温度も摂氏百度から百五十度になる。この高圧と高温の条件が満たされると、腐食物質は固化するとともに、ケロジェンと呼ばれる炭素、水素、窒素や硫黄などの高分子化合物に変化する。

さらに数万年以上もの時間をかけて、堆積層の中で原油が生成される。数万年、数百万年、数億年という時間が、腐食物を石油に変えるのである。

もう少し詳しく言えば、原油が生成される堆積層を根源岩と言い、原油は、地球が長い時間をかけ、根源岩から育んだ産物なのである。

世界の主要油田の根源岩は三億年前から始まるベルム紀、二億年前からのジュラ紀、六千六百万年前までの白亜紀が多く、これほどの時間をかけてようやく原油になるのである。この生成条件だけを見れば、ベルム紀、ジュラ紀、白亜紀の地層を狙って、地下三千メートルまで井戸を掘れば世界中どの地域でも原油が見つかることになるが、そんな簡単な話ではない。

石油を発見するには、さらに厳しい条件が加わる。その条件は岩である。

根源岩で生成された原油は地下水が流れるように別の岩に流れていき、そこで滞留する。別の岩とは水分を多く含んだ川砂や海砂からできた砂岩、あるいは珊瑚礁からできた石灰岩（大理石）である。

砂岩や石灰岩は岩石となる過程で水分が失われるが、それでも岩石の中には二、三割程度の隙間がある。この隙間に原油が溜まるのである。この岩を貯留岩という。根源岩から生まれた原油は貯留岩に向かって緩やかに流動し、貯留岩に残っていた水と一緒に、とてつもない時間をかけて、浅い場所に移動する。

こうして原油が一か所に溜まった場所を地質構造トラップと言い、一般的には「油田」と呼ばれている。

この地質構造トラップは下に根源岩、次に貯留岩、上部に帽岩という原油を閉じ込める役割の岩の三層構造になっていて、地殻変動によってお椀を伏せたような形状や断層で偶然できた構造なのである。

したがって、原油が生成され、溜まる条件が満たされる場所は世界でも極めて限られている。逆に言えば、構造トラップが存在しなければ原油はない。

大油田が見つかった中東、インドネシア、アメリカ、ロシア、ベネズエラなどは構造トラップができる条件を満たした大変恵まれた地域なのである。ちなみに、日本で小規模な油田しか見つからないのは、火山活動や地震が多く、原油が貯まる条件を満たす地層が少ないことが大きな理由だと言っていいだろう。

## 探鉱

では原油が溜まる地質構造トラップ、即ち油田を見つけるにはどうするか。

昔から「燃える水」、日本でも「くそうず（臭い水）」といって、地殻変動が再び起きて、地表近くまで油田が隆起していれば、比較的容易に見つけられるだろうが、今ではそんな場所は見当たらない。

井戸を掘り、油田を探そうにも、井戸を掘るには数十億円もかかる。やみくもに掘るのは経済的ではないので、掘削する前に油田がありそうな場所を技術的に特定する必要がある。

技術的に特定する方法には、深い場所から地表まで繋がっている地層を見て根源岩や貯留岩の有無を想像する方法もあるが、推定通り地下に存在するかわからない。

現在、一般的な方法は地震探査による地質調査である。地震探査は人工的に地震を起こし、地下の地層からの反射波を観測して地下の地層を推定するもので、専門会社に作業を委託する。

人工地震の反射波が地上に戻ってくるまでの時間を測り技術的な手法によって深さに転換して、地層がどのような層順になっているか、その広がりはどれくらいあるかなど、石油開発会社は作業を監督して得たデータを基に評価して、最終的に油田として有望な場所を特定する。

ここまでは石油開発会社の地球科学者と地質学者の仕事だ。しかし有望な場所が特定できても、実際に原油が存在するかどうかわからない。

次は掘削技術者の出番である。

技術者は、地質学者が最も原油が溜まっていると思われる場所を特定した場所に井戸を掘削して、実際に原油が存在するか確認する。

井戸の掘削はリグと呼ぶ掘削専用の機械をを使うが、海上油田の場合、掘削の機械を乗せた船で作業する。

掘削は、ビットというダイヤモンドの歯のついたドリルを回転させ井戸を掘るが、掘削中はリグのデッキからビットまで泥水を循環させ、堀屑を地上に戻している。泥水はビットの潤滑油と、掘削中に噴出する高圧のガスや水を抑える役割がある。

リグの掘削作業は、掘削会社に日額数万ドル支払う請負契約を結ぶことが通常で、石油開発会社から掘削技術者と地質学者がリグに常駐して掘削会社の作業を監督している。

私が長い間、勤務していたハッシ・バーミ社の場合、監督は二名体制となっているが、監督を英国でリクルートしていた。

英国人の監督は個人事業者になっている者が多く、勤務は四週間連続で十二時間交代、日当は一日二千ドルだ。一回勤務すると六百万円近い収入となるが、これを年に六回繰り返すわけだから、彼らは、うらやましいほど非常な高給取りだ。

このように石油技術者の人件費は高い。したがって、井戸一本掘ると数十億円かかってしまうのも無理はない。石油会社は少しでも掘削費用を抑えるため作業は、二十四時間三百六十五日休みなしで行い、掘削に必要な資材は途切れることなく補給する。仕事の指揮命令とそれを支える仕組みはあたかも軍隊のようだ。

それにしても、地下三千メートル以上の深さの井戸を掘り進めるには、尋常ではない苦労が伴う。

掘削途中に、硬い岩盤や高圧の水層がある場合もあれば、突然、大量の有毒ガスが噴き出してくることもあり、極めて危険な作業だ。そもそも、地質学者が要求するターゲットの油層は、油田によっては厚さが僅か数十メートルしかない場合もあり、的確に狙った場所に掘り進めるのは至難の業だ。

今では掘削している深さと位置がリアルタイムで確認できるが、一昔前までは、掘削技術者の経験と腕次第であった。

地質学者は掘削中に出る堀屑を観察し地質の状態を把握しているが、苦労の末にターゲットが近くなり堀屑に油が混じり始めると、油層に到達した期待で地質学者も掘削技術者も、報告を受けた本社も一緒に大喜びとなる。

ところが、残念ながら、最新の手法を用いても油田発見の確率は、数パーセントしかないことが現実である。その大きな理由は、原油が生成され油田となる条件が満たされていたとしても、地殻変動によって原油の移動を防ぐ役割の帽岩に断層や亀裂があり、原油が散逸していることが珍しくないためだ。

これを空井戸というが、石油開発が千三つと言われるように、数えきれない失敗を乗り越えて、ようやく油田を見つけることができるのである。

## 開発

ここまでは、わかってくれただろうか。

では、掘削の結果、めでたく油田が発見できたとしよう。

石油開発会社が次に考えることは、原油の存在量を埋蔵量というが、油田の原油埋蔵量を想定して、投資をして採算が合うか、即ち商業生産が可能か直ちに検討に入ることになる。では、それは何を基準にどう判断するのか。

石油開発会社は、井戸を掘りながら、途中の地層から地質データを取得する。原油は地下数千メートルの高圧状態で水とガスが混在している。掘削して油層に到達したら、地質と原油性状データを取得し、リグで短期間原油を生産する。

原油はリグのバーナーという設備で燃やすが、地下から噴き出す原油の勢いでバーナーから炎が数十メートルも海面と平行に伸びていく瞬間、油田を発見したと実感する。油層では高圧の状態にある原油は、地表との圧力差によって自噴する。この時、圧力差で推定される生産量と実際の生産量の差を評価することによって、原油がどれくらい生産できるか判断できるのである。

学者がこのデータを基に油田の地層の成り立ちを考証して、地質モデルという油田全体の姿を構築する。この地質モデルから油田の原油埋蔵量を推定するのである。

だが、地質モデルができても、操業を開始までには、いまだ困難が待ち受けている。油田の規模には問題がなく充分魅力あるが、原油が僅かしか生産できない場合があるからだ。

油層に原油はたっぷり含まれているが、油層である貯留岩の隙間が小さかったり、隙間の繋がりが乏しければ、原油生産に時間がかかり過ぎる、あるいは、僅かに生産しただけで原油の流れが止まってしまう。

また原油とガスの関係も重要だ。

油層から原油を生産すると油層の圧力が徐々に下がっていく。油層の圧力が下がると原油の一部がガス化してしまうのだ。スプレー缶をよく振って使うと液体とガスが一緒に噴出するが、ガスだけを先に出してしまうと缶の中に液体が残ってしまうのと同じ理屈だ。

自噴で原油を生産する時は、油層の圧力を維持して、ガスをうまくコントロールする必要がある。

原油の比重と粘度が高い性状であれば、生産と原油の輸送が困難な場合もある。ベネズエラは世界最大の原油埋蔵量を誇るが、これに当てはまるので開発がむずかしい。

首尾よく発見できた原油の生産リスクを評価する専門家が、油層工学技術者と石油工学技術者である。

油層工学技術者は、地質学者が描いた油田の全体像から地質学者とともに原油の溜まり具合と最適な掘削場所を特定し、掘削した井戸からどのように、どれだけ生産できるか、油層モデルを構築して油田全体から生産可能な埋蔵量を算出する。

次に、再び掘削技術者の出番だ。

かつては垂直に井戸を掘削していたが、現在では、GPSで居場所を確認するように、ビットの先端位置を把握して掘削作業をコントロールし、掘削中の井戸の方向を自由に曲げることができる。

油層に到達したら井戸を水平に長い距離を掘削することで、一本の井戸から生産量を増やす技術も確立されている。

こうして仕上げた井戸から生産される原油の生産挙動は、技術データとして分析され、石油工学技術者は最適な生産計画を立案する。

地質モデルは、地震探鉱を再度行った時や新たに井戸を掘って地質データが得られた時、油層モデルは、生産予測と生産実績を比較して実績に合うように、それぞれのモデルをアップデートする。井戸を多く掘り、長く生産を続ければ、それだけデータが増えていくので、地質と油層モデルのアップデートはエンドレスの作業だが、原油を安定的に生産するには欠かせない仕事である。

「石油って、何？」と聞いた小学生に、以上のことをやさしく噛み砕いて、説明してあげてほしいと言っても、無理かもしれない。

## 石油銀座

では、小学生にもわかるように、こうまとめてみたので参考にしてほしい。

社会生活を営む上で不可欠な原油は、恐竜が跋扈していた二億年前のジュラ紀に植物や微生物が堆積し、その後の地球の地殻変動で地下三千メートルまで沈み込んだ結果、高圧高温となった条件下で生成された。

生成された原油は、ゆっくり上部の砂岩や石灰岩に移動して、水や油を通さない硬い岩に囲まれた場所に集まった。それが油田だ。

地球が数億年にわたる時間をかけて作り出した産物は簡単に発見を許さないし、発見しても地上まで取り出すことは簡単ではない。しかし、学者や技術者たちが何とか取り出した。それが原油である。そして原油は、灯油やガソリン、化学繊維のもとになって毎日の生活に役立っている。

それにしても、中東には大規模な油田が多く存在する。なぜ中東に油田が多いのだろうか。説明できる人は、意外に少ないかもしれない。

実は、約二億年前の三畳紀に、超大陸パンゲアが分裂した時、このあたり一帯にテチス海と呼ばれる広大な海が出現した。この海は赤道付近にあり、温暖な気候によって石油の元となる植物や微生物が大量に発生した。そして、ジュラ紀から白亜紀にかけて中東地域に貯留岩となる石灰岩や帽岩となる硬石膏が大規模に発達した。

地球の長い歴史の中で、原油の生成と貯留する条件が整い、大きな地殻変動を免れた地層が存在する場所、それが中東なのである。

かつてのメソポタミア文明発祥の地、表面は砂漠であっても、数千メートルの地下で数億年にわたって原油が生成され、数万年かけて原油が流動し貯蔵されていたことは奇蹟的なことだ。現地の人たちが「アラーの神の配剤」と言うのも理解できる。

この私が働いたハッシ・バーミ油田も約二億年前のジュラ紀地層にあり、地下三千メートルのお椀を伏せたような背斜型トラップから原油を生産している。

その原油が地表に到達した時の温度は約六十度。まさに教科書通りの油田だ。このハッシ・バーミ油田の近隣には大規模な油田も存在するが、油層は緩やかに地表まで続き、オマーン山脈の山肌で見ることができる。この山脈は、驚くことに標高三千メートルに達する山々が連なっているが、木も草も生えていない岩山だ。

マスカットとアブダビを結ぶフライトの機内から、オマーン山脈を見ることができるが、山脈は盛り上がった岩の塊で、あたかも月の地表のような異様な景色だ。

アラビア半島はめったに雨が降らない砂漠地帯だが、この山脈のおかげで雨がよく降る。一度雨が降ると岩山なので一気に麓まで流れ落ち、鉄砲水となって山から大きな岩が押し寄せてくる。

現地の言葉で「ワディ」と呼ばれる涸れ川は雨が降ると大洪水を起こし、やがて雨水は地下に染み込みアラビア半島全体に広がるといわれる広大なオマーン水脈に蓄えられていく。

ハッシ・バーミ社に勤務する地質学者は、フィールドトリップと称する地質の探査でこの場所を訪れるが、石油銀座と呼ばれる海上油田の油層が地上に到達している姿を目にすることになる。「油層が地表に現れている場所を訪れ、この目で確認した時の感激は忘れない」と言っていたことが印象的だ。

地下数千メートルにある油田を発見し、原油を汲み上げ、生産に至るまでの過程は本当にダイナミックだ。

異なる職種の技術者が、専門知識を結集して、日々の苦労を乗り越えてようやく実現する。油田の成り立ちと同じく、油田を発見して商業生産に至るまでの道のりは、すべてのステージで成功しなければ、到達できない。しかも、運が良くなければ、数百億円以上かけた挑戦は、フイになってしまう。

成功するのは、奇跡的なこととさえ思えるのだ。

## 契約形態

二十世紀は石油の世紀といわれ、原油は社会を支える重要な基礎エネルギーであったが、二十一世紀になった現在でもそれは変わっていない。油田の発見と生産に向ける技術者の情熱で石油の世紀を実現してきたのだと思う。ここに石油開発の醍醐味がある。

中東の地に、気の遠くなるほど長い時間をかけて埋蔵されていた原油を手に入れるには、どうすれば良いのだろうか。

石油を採掘するには産油国と契約を結ぶ必要があるが、その契約には三種類ある。

一つは、一九〇〇年代初頭から一九六〇年代前半に、先進国、英米仏などの石油会社が当時の中東の部族長と結んだ「利権契約」である。

利権契約は部族長に利権料を支払い、原油生産に伴う利益に対して納税する仕組みで、原油の生産操業は規制をほとんど受けずに、生産物の処分権を独占的に獲得できる内容である。これは、会社にとって、大変に有利な契約である。

時代を経て、産油国が独立し、石油が産み出す利益に目覚めた現在では、産油国との契約は「生産物分与契約」が主流となっている。

この契約は、産油国がオーナーの立場で石油会社をコントラクターとして雇う形態である。石油会社は設備投資や操業費を支払うが原油の売上代金から回収できる。残る利益を産油国と契約した割合で分配するというものである。石油会社が設備資金を回収した時点で、設備の所有権は産油国に移る。会社が産油国に提示した設備投資予算を超過したら、ペナルティとして超過分は会社持ちになるなど、石油会社は費用回収にリスクを伴う。

もう一つの契約形態は、サービス契約。産油国から会社が収入としてバレル当り何ドルをもらう取り決めを行い、原油やガスの生産操業を請け負うというもの。生産量が確保できれば安定的な収入につながるが、油価が高騰しても石油会社は取り決め以上の収入は得られない、うまみに欠ける内容である。

## 生産設備

さて、石油開発技術者たちが商業生産が期待できる油田を発見すると、次は生産設備の建設に進むことになる。

設備はどのように建設されるのだろうか。

少し専門的になるが、原油を生産する場合、掘削した井戸にケーシングと呼ぶ外径パイプを設置し、掘削穴との隙間をセメントで固める。ケーシングの中にはチュービングと呼ぶ内径パイプを設置し、原油はこのチュービングの中を通って生産される。

高圧で生産される原油やガスが制御不能となることを避けるためパイプ内に安全装置を設置する。さらに地表にはクリスマスツリーと呼ぶ安全装置を含む複数のバルブをジャケットと呼ぶ櫓の上に設置する。

この設備が一つの生産施設で、油田内には複数の生産施設が作られる。

次に各生産施設から個別に貯蔵施設まで原油を送ることは不経済なので、油田内に生産原油を集める集油施設を建設する。

生産施設から集油施設まで、フローラインと呼ぶパイプラインを敷設し、さらに集油設備から貯蔵施設までメイン・オイルラインと呼ぶパイプラインを敷設する。施設建設は集油設備のほか、生産された原油に含まれる地層水やガス等の不純物を分離して除去する、セパレーターと呼ぶ設備が必要となる。油層の圧力を維持する目的で、海水を油層に圧入することになれば、海水圧入設備としてポンプと発電機、発電機の燃料ガスを精製する設備、これだけ施設では有人の操業となるので居住設備の建設も必要になる。

ハッシ・バーミ油田でも、これらの施設を建設した。

洋上で建設作業ができる業者は限られていること、当時の油価が高騰していて建設費も連動して高かったため、高額な費用を要した。

地下三千メートルの油層から生産した原油は、フローラインを通り施設に運ばれ、ガスと水を分離した後で、メイン・オイルラインから貯蔵設備に送られる。原油の不純物である硫黄や塩分を除去して、ドス島のタンクに貯蔵する。そのタンクから原油は日本に向けて出荷するのである。

日本のタンカーはマラッカ海峡、巨大船が通過するロンボク海峡を経由して、原油出荷ターミナルであるドス島までは片道が二十日間の航海である。

ドス島には毎日三十万トン（約二百万バレル）の原油を積載する巨大タンカーが着桟している。ドス島は地下に存在する塩のドームの隆起でできた、標高が数メートルの無人島で周囲は遠浅の海だった。

だがドス島の近くに巨大油田が見つかり、操業基地と出荷設備を作るに相応しいことから、大きく変貌した。

ドス島には大規模な原油と液化天然ガスの施設と飛行場、隣接する人工島には一万人近い作業員が居住する施設が作られ、まるで町だ。島の周囲は浚渫され、ほぼ原油を満載して喫水が深くなったタンカーでも着桟できるようになった。

アラビア湾の他の原油積み出し基地で購入した原油を積み込み、最後にドス島に寄港して、原油を満載にして日本に戻る。タンカーの傭船料が一番安くなるルートだ。

石油ビジネスは、原油生産から製品が消費者に届くまで最も効率的な方法が確立されている。

## 八十三パーセント

日本は原油需要の九十九・六パーセントを輸入に依存しているが、そのうち八十三・四パーセントは中東産の原油だ。

したがって、中東産油国が生産する原油に何らかのトラブルが起きたり、中東産油国との関係に政治的な問題などが生ずれば、日本は一瞬にして原油を購入できなくなり、社会生活は大混乱に陥ってしまう。

輸送においても、購入した原油を積載したタンカーがアラビア湾の出口であるホルムズ海峡やその先のマラッカ海峡またはロンボク海峡を通過できなくなれば、原油の輸入は途絶えてしまう。

堺屋太一の著書「油断」で警鐘を鳴らした状況の可能性は常にあることを忘れてはいけない。金さえ払えば何時でも好きな時に原油は買えると思うのは、幻想にすぎないからだ。一端、国際紛争が起きてしまえば契約など簡単に反故にされてしまう。

現に、第二次世界大戦前に日本に対して石油の禁輸措置が取られ、日本が無謀な戦争に突入したきっかけになっている。

原油を平和的に、かつ安定的に供給することは、それほど重要なことなのだ。

だが、ここで明確にしておくべき原理原則がある。

いくら原油の安定供給が大事だからと言って、中東産油国に対して、卑屈になる必要はまったくない。何より、産油国とはお互いを理解し、尊敬しあえる関係を築き上げることが何より大切なことだ。もちろん、国と国の外交関係を築くことも重要なことだが、尊敬しあえる関係は民間企業でも築くことができる。

民間企業が草の根で築く産油国民との関係が、結果として安定的な原油供給に繋がるとすれば、努力は報われ仕事冥利に尽きる。

現在では、日本の原油需要は日量四百五十万バレルを下回るレベルとなった。ピーク時からは省エネ対応や若年層の車離れや環境問題などの理由で百万バレルほど減少した。

日本の原油需要は減少傾向にあっても、世界を見渡すと中国など需要が伸びている国が多く、驚くことに全海上輸送物で重量の三分の一は石油だという事実がある。この例だけでも、石油がどれほど重要な物資であるか理解できると思う。

はるばる中東で原油を買い付けたタンカーが、一か月半の航海を終え日本の港に到着する。

この先、原油はどう変化していくのであろうか。港から製油所のタンクに移された原油は常圧蒸留塔と呼ぶ装置に送られる。そして、原油は加熱され、加熱温度によって低温から高温の順に、石油ガス成分、ナフサ（未精製ガソリン）、灯油とジェット燃料分、軽油分が取り出される。残りは残油として重油やアスファルトになる。

産地によって異なる原油の性状に対応することや効率的に精製するため、実際の製造工程はもっと複雑だが、原理は過熱による原油の揮発を利用して、製品群を取り出す方法である。製品群のうちナフサはエチレン、ポリエチレンや塩化ビニルなどの石油化学製品の原料となる。原油は製油所のタンク以外に、緊急時に対応する目的で、国家が百日分、民間が七十日分の原油と製品を備蓄して「油断」にならないようにしている。

地下三千メートルから地上に垂直に汲みだされ、産油国から消費国に水平にタンカーで運ばれた原油は、製油所で蒸留塔の中を再び垂直移動して製品となり、そしてタンクローリーで水平に隅々のガソリンスタンドに運ばれていく。このように、原油は産地から消費地まで途切れることなく流れ、姿を変えて消費されるのである。

## 巨人たち

この仕組みを最初に築き上げ確立したのが、石油王と呼ばれたロックフェラーであった。石油を産業にまで高め、さらには国家権力と結びつくことで戦略物資になったのである。

石油産業は一八五〇年代後半に米国で生まれた。

それまでランプ用の燃料には鯨油などを使用していたが、一八五九年にドレークという人がペンシルベニア州で油井の機械掘を行い、岩盤下二十一メートルから三十バレル程度の原油を掘り当てたことが始まりだ。

以来、原油の灯油成分が鯨油に取って代わった。米国が、鯨油目的の米国捕鯨船に、日本の港で補給を認めてほしいと要望しペリー提督を派遣したことが、日本の開国に繋がった。石油の発見がもう少し早かったなら日本の歴史はどうなっていただろうか。

石油産業の近代化は、ロックフェラーが一八七〇年に創立したオハイオ・スタンダード石油会社が始まりである。

創立当時、石油の需要は灯油と潤滑油に限定されていたが、十年足らずで輸送手段の四分の三を掌握し製油部門の集中を通じ、米国全体の九十パーセントを占めるまでに急成長を遂げた。そして、創立わずか二十年後の一八九〇年には、欧州や南米まで事業を拡大して、国際石油企業に発展した。

石油産業の発展は米国だけではない。ロシアにおいても一八七〇年代中頃から石油産業が急速に発展、その年に年間二十万バレルだった原油生産量は、一九〇〇年には七五八〇万バレルに急伸、先行する米国を追い抜いてしまった。

発展の原動力となったのは、スウェーデンのノーベルとフランスのロスチャイルド家だ。ノーベル家がノーベル財団を残したことは誰でも知っているが、バクー油田にも進出していた。製油所からスタートして産油部門に乗り出し、さらに諸外国に販売設備を持つまで成長し、一八九〇年代後半には、ロシア灯油の三分の一を生産した。

また、ロスチャイルド家もバクー油田の権益を獲得、多くの小規模製油業者と契約しロシア最大の灯油輸出業者となって、欧州のほかインドにも進出した。

英国も黙っていない。英国の貿易商人サミュエルは、ロスチャイルドとスエズ以東の独占販売権契約を締結し、一八九七年にシェル運輸貿易会社を設立した。急伸するロシアのシェルと米国のスタンダードは東洋市場で競い合ったが、新勢力としてロイヤル・ダッチが登場した。

オランダで一八九〇年に設立されたロイヤル・ダッチはインドネシアに石油権益を持ち、シンガポールやマレーシアに灯油を販売していた。

三者による競合関係は一九〇七年にロイヤル・ダッチとシェル、ロスチャイルドが加わり、ロイヤル・ダッチ・シェルグループが形成され二大勢力となった。この二大勢力は、ウイリアム・ノックス・ダーシーがペルシャ（現イラン）での油田発見を契機に一九〇九年に設立された、現BP・アモコの原型、アングロ・ペルシャン石油会社や、米国内で相次ぐ新油田発見をもとに設立されたテキサコとガルフ、それに、反トラスト法でスタンダードはエクソンに、分離独立したシェブロンとモービルの七大勢力（セブンシスターズ）に再編された。

いろんな名前と国名が出てきてややこしいが、石油産業が急速に発展した一八七〇年代中頃からわずか三十五年という短期間に、石油産業と市場は特定の国のわずか数社に独占されてしまったということだ。

ゴールドラッシュのように有象無象が事業に乗り出し、失敗した事業者が破産する。成功しても輸送など供給手段が確立されておらず、結果として需要と供給のバランスが取れず石油価格が乱高下するなどの背景があって、ロックフェラーに代表されるように、製油所と輸送手段を押さえた事業者が市場を支配、独占することになったのである。

この時点での原油の利用価値は主に灯油だったが、自動車産業の出現と第一次世界大戦によって劇的に変化した。

石油を動力とする自動車、艦船の動力源が石炭から石油に代わり、さらに戦車や飛行機など近代兵器の出現で消費量は増大して、石油は単なる商品から戦略物資に変貌したのであった。原油を支配する国が世界を制する。以降、セブンシスターズは自らと出身国の利益のため資源の獲得競争を激化していくことになる。

## 中東石油開発史

中東に話を戻そう。

中東は有望な油田が存在すると考えられていた。オスマン・トルコ帝国の石油資源の権益を有していたトルコ石油は、アングロ・ペルシャンが五十パーセント、シェルとドイツ国立銀行がそれぞれ二十五パーセントずつの株式を所有していた。

しかし、第一次世界大戦の結果を受け、イギリスとフランスは密約して、ドイツ銀行の持分はフランス政府に与えるというサンレモ協定が一九二〇年に結ばれた。この協定によってドイツに代わりフランスが石油権益に参入することとなった。

世界的にみると第一次世界大戦とロシア革命によって、石油は供給不足となったが、戦争が終結した一九二〇年代後半には解消し、逆に供給過剰となって石油の値引き競争が行われるようになった。その解決のために、一九二八年九月、エクソン、シェルとブリティッシュ・ペトロリウムの三社はカルテル協定を結び価格の現状維持を図った。

欧州と米国が関与し、現在に至るまで中東諸国で揉め事が続く原因となる協定が一九二八年に結ばれた。「赤線協定」という。

中東の地域はどこまでかとの根本的な議論になった時、アルメニア人のグルベンキアンがペルシャとクウェートを除く中東の重要地域をすべて含めた旧オスマン・トルコ帝国の領土を赤線で囲んだことが、赤線協定のいわれである。

フランスの提案によって石油利権を共同所有し、共同操業を義務付ける協定が結ばれた。グルベンキアンは赤線協定に関与した報酬として、利益の五パーセントを得る権利を手に入れ、ミスター・ファイブ・パーセントと呼ばれるようになった。赤線協定はイギリス、アメリカ、フランス政府も承認した政府間協定であり、中東における石油資源の支配構造を決定することとなった。

「石油は誰のものか」という議論は、一九六三年の国連決議で地下資源はそれが存在する国の所有に属するという「天然資源に関する恒久主権」で明確になった。逆に言えば、それ以前は「見つけて取り出した者」や「契約によって権利を得た者」に属していたということであった。

そうであれば「一度手に入れた権利は絶対手放さない」という行動原理が様々な問題を生み出す。そうして石油をめぐる紛争の歴史が生まれるのだ。

これら問題の解説は、ダニエル・ヤーギン著、日高義樹・持田直武共訳の「石油の世紀　支配者の興亡」（日本放送出版協会）や広瀬隆著「世界石油戦争　燃えあがる歴史のパイプライン」（NHK出版）に詳しい。ちなみに「世界石油戦争」で強く印象に残った記述に、石油を巡るアラブ民族内の対立についての解説があるので、少し引用させていただく。

1. 米英が中東イスラム国家に油田を発見する→米英が石油利権獲得のため首長と採掘権協定を結ぶ→米英が石油利権を安定して確保するため王制・首長制のような独裁体制を経済的・軍事的に支援→石油収入で国が豊かになり国民の不満は少なくなる。首長が国民を顧みない場合でも、外国に対して対等な外交関係と利益の分配を求める民衆、主に労働者貧困層に対して米英が弾圧を加えるため容易に首長を倒すクーデターが起こらない。（イランではアングロ・イラニアン石油の国有化に憤慨した米英が国を挙げて逆クーデターを起こした）

2. 石油が発見されない国…（省略）

実に的確だと思う。

全編にわたって、米英を中心とする先進国が、中東においてどのような石油政策を取ってきたか記述されている。

そのプレイヤーは、英国がチャーチル、メージャー、サッチャー。米国ではブッシュ親子はじめ、どの国も政権のトップがことごとく関与していると言っても過言でない。

またこの本の中で、一九六〇年代以降に相次いで行われた石油利権の国有化宣言によって、産油国は莫大な石油収入を得るようになったが、米英がどのようにして石油収入を取り返したのか解説している。

要約すれば、武器購入と米英の設立した銀行を通じた投資活動による資金還流である。

中東諸国はクウェートの領土に野心を持ったイラクをはじめ、国境や離島を巡る紛争が各地で起きている。

サウジアラビア、アブダビとオマーンの三国は、オアシスのあるブライミという地域に眠る油田を巡って争っていた。アブダビはイランと大小トンブ島所有を巡って係争状態にある。イスラム教の宗派対立もある。シーア派のイランは大統領の上位に宗教指導者が存在する、スンニ派のサウジアラビア、アラブ首長国連邦は部族長が国王として絶対権力を持っている、宗派と国家体制の対立である。

だが、同じスンニ派で国家体制でありながら、サウジアラビア、アラブ首長国連邦とバーレーンはカタールと国家断交を決めた。

内戦状態にあるイエメンを巡って、サウジアラビア、アラブ首長国連邦とイランが代理戦争をしている。さらには、チュニジアから始まったアラブの春がきっかけとなって、今も内戦状態が続くシリア。国連決議に反して入植を続けるイスラエルとパレスチナやアラブ諸国。敵の敵は味方とばかり、イスラエルとイランの対立激化によってイスラエル寄りとなったサウジアラビア。中東をめぐる紛争は数え上げればきりがないが、歴史的に見れば石油資源を巡って紛争が引き起こされる事例は実に多い。

石油という富を生み出す資源が領土内にある、その富を維持するために武力で守る必要がある。武器を買い揃え、それはどんどんエスカレートする。武器が溢れるようになれば、使うことに躊躇しなくなる。それが今の状態だ。傷つくのはアラブ民族自身だ、何とか石油収入を武器購入に向かわない社会を実現してほしいと思う。

投資活動についていえば、クウェートでは収入の三分の一ずつを王族と国民に支出して、残る三分の一は次世代基金として英国で資金運用していた。

イラクの侵攻を受けた湾岸危機の際に、次世代基金の残高を確認したら、大きく目減りしていたという話を聞いた。

今では湾岸産油諸国は自国民が直接石油収入を運用している。それでも投資先は欧米に向かうことが多い。運用する人が欧米人からアラブ人に代わっても、資金の向かう先が変わらなければこれまでの構造と変わらない。

日本と湾岸産油諸国との関係に、当然のことながら武器輸出は関わらない。宗教的な関係でも、同じ一神教のユダヤ教、キリスト教とイスラム教の原点は同根だが、仏教は多神教でまったく違う。違っていても構わない、むしろ宗教的には争点が少ない。

## 義理と人情

今は反目しあっているアラブ首長国連邦アブダビとカタールが、揃って日本に生産原油と液化天然ガスを輸出してくれるのはなぜだろうか。

私が思うに、義理と人情だ。アブダビは独立時に、日本が早々と独立を承認した、アブダビの街並みを設計したのは日本人、そして日本の石油会社がアラブ首長国連邦が独立する前からアブダビに進出して、石油開発事業を通じて経済発展に貢献してきた。これらに満足して日本との関係を大事にしている。

カタールは合理的精神が旺盛で、利害関係に関してアブダビよりドライな印象があるが、半面、極めて義理堅い。

先代の国王の時代に、原油生産量の伸びが頭打ちになるなか、ガスに国運をかけた時に、日本の銀行団が融資シンジケートを組成し、日本を代表する商社が中部電力とＬＮＧ引取の長期契約を取り持った。

それから二十五年を経過したが、今でも毎年エネルギー大臣と現業部門トップのカタール石油社長が日本を訪れ、手助けした日本企業と良好な関係を維持している。

また東日本大震災が起きた時、カタールはLNGを日本に緊急輸出し、女川に復興援助を行った。

このように、中東諸国は日本と欧米の違いを理解している。日本自身が欧米との違い、なぜ中東諸国と日本が良好な関係を築けているか、再認識すべき時がきたと思う。決して失ってはいけない関係だ。

私が三十五年間付き合ってきたアラブ人は、皆、とても平和的な人たちだった。ほぼ全員がイスラム教徒で信仰心に厚いが、独善的でも排他的でもない、まして過激的や狂信的な人はまったく見かけない。私は自然と彼らのシンパになったのだと思うが、日本に帰国して接するアラブに関する情報に、違和感を覚えることが多い。

日本で接する情報では、イスラエルは第二次世界大戦中の悲劇的な出来事から同情心を集め、それに対してパレスチナ人は過激的だと思われている。

アラブ人は、まるでテロリスト集団のように報じられることすらある。でも、考えてみてほしい。共同で使っていた敷地を公けのもとで境界線を取決めたのに、隣人は自分の生存に必要だと言って、境界線を勝手に侵食する。侵食した隣人を支持する人の声が大きく、侵食された側が抵抗したためにイメージが悪くなるのは、理不尽で気の毒ではないか。

私にはイスラエルとパレスチナの関係はこのように見える。

この類の話は中東のアラブ民族のイスラム世界にはいくらでもある。

私がアラブ人のシンパであることを白状したうえで敢えて言うが、せめて報道する人たちは、公平に歴史的な経緯を踏まえて、日々起きる出来事を是々非々で伝えてもらいたいと思う。

## 油価決定

ところで原油の価格、すなわち油価はどうやって決定するのだろうか。

まず知っておいてほしいのは、そもそも原油の価格は生産コストで決まるわけではないということである。

普通は商品でも製品でもあるいは生鮮食料品でも、その価格は生産するのにいくらかかったか、原価計算を基に決められる。原価に利潤を乗せて商品の価格が決まるが、原油はその方程式がまったくあてはまらない。

もし、油価を他の製品のように生産コストで決めるとすれば、中東産原油の価格は高すぎるかもしれない。過去に油価が一バレル当り百ドルを超え、瞬間的には百四十七ドルまで高騰した時があったが、中東産原油の生産原価は一バレル当たり十ドル程度に過ぎず、大規模油田ならば、わずか三ドル以下だった。

中東だけが特別ではない。他地域の既存油田の生産コストは、規模や環境によって多少異なるにしても、やはり一バレル当り十ドルから三十ドル程度である。それが一バレル百ドルを超える価格で売買されるのである。ここに原油価格の大きな特徴がある。

ちなみにアメリカは二〇一八年に世界最大の原油生産国に復帰したが、これはシェールオイルの生産量が増加したことがその理由であった。

シェールオイルは、本のページ状になっている岩層の間にある原油を、高圧の水の力で岩層を破砕し生産しているが、技術的にコストがかかる。そのコストは一バレル当り五十ドル程度と言われている。

また油井の掘削技術が進化し、今まで手を付けることが出来なかった大水深の海底油田も開発が可能となった。だが、原油生産コストは一バレル当り四十ドル以上かかる。ということは、油価が三十ドル以下になるとシェールオイルや大水深油田開発は採算割れとなり、中東原油以外は経済的に生産ができないことがわかる。

現在の油価は、どの地域や方法で生産しても採算割れをしない水準となっているが、なぜこの水準が維持されるのだろうか。中東産の原油価格は、原価に対して異常に高すぎるが、これは産油国が不当に利益を得ているのだろうか。

二十世紀は「石油の世紀」であった。おさらいになるが、石油は灯火や暖房として利用することから始まり、次第に用途が広がり船舶や自動車の動力源、発電用、化学製品の原材料として、文明生活に不可欠となった。

したがって、現在でも、世界貿易の取引商品の中で石油は量・金額ともに最大の「商品」である。

しかし世界貿易の最大の「商品」である石油は「売った」「買った」で片づけられない「商品」を超えた取り扱いをされてきた。石油は、平常時では自由に取引される単なる一次産品であるが、有事においては国の統制下で取引きされるからである。ここが他の商品と根本的に異なる特徴である。

石油は陸軍・海軍・空軍にとって不可欠な軍事物資であることから、戦争が多発した二十世紀は、まさに石油の争奪を巡る紛争の世紀でもあった。

わが国は先の戦争に突入する前に、アメリカ、英国、カナダ、オランダから石油の禁輸措置を受けた。

国名の頭文字を取ってABCD包囲と言われたが、セブンシスターズと言われた国際メジャーの協力がなければ禁輸の実行は不可能だ。その結果、わが国では「石油の一滴は血の一滴」というスローガンを掲げて耐え忍んだものの、資源を持たない悲哀と取り返しのつかない道を辿ってしまった。この事実が、石油は国の命運を分ける「戦略物資」だということを如実に示している。

地球温暖化対策などで、持続可能エネルギーに転換を図ろうとしている現在も、石油が軍事力行使に不可欠である限り「戦略物資」であり続けるだろう。

原油の価格に話を戻すと、原油は一バレル＝百五十九リットルを単位として、原油先物市場が主導する市場価格で決まっている。

この先物市場は一九八〇年代後半から開設されたが、そんな新しい仕組みなのかと驚かれる人も多いのではないかと思う。

ではエネルギー源としての「商品」と「戦略物資」という二つの顔を持つ石油は、どのように取引されて、価格が決まってきたのだろうか。

最初に原油価格を支配してきたのは、先述したように「セブンシスターズ」と言われた世界の石油産業を代表する欧米の国際的大企業であった。これらの巨大企業がどのように築き上げられたのか、起業し、市場と石油価格を支配した人たちをもう少し掘り下げてみよう。

## オイルメジャー

まず、バクー油田で成功したノーベル兄弟の話からはじめよう。

ロシア帝国南部カスピ海沿岸にバクーという町があり、そこは古くから産油地帯として知られていて、小さな製油所がいくつもあった。

そこへスウェーデンからやってきたのがノーベル兄弟の父で、製油所経営を始めたが事業に失敗した。その後を継いだ兄のロバートは化学者だった弟の力を借り、原油から不純物を取り除く方法を発明して、父の潰れかかった会社を一躍コーカサス地方で一番の利益を上げる会社に成長させた。

発展はとどまることを知らず、ロシアの灯油の半分を生産するまでになり、やがてフランスの大財閥であるロスチャイルド家と組んで、大鉄道網を敷設し、どこにでも石油を輸送できるシステムを使りあげ、ヨーロッパを席巻したのである。

アメリカで大成功を収めたのは、ロックフェラーだ。

ロックフェラーは「山師」と呼ばれる父と敬虔なクリスチャンである母の間に生まれた。だが若い頃は、家に帰ることのない父とはまったく違う真面目一筋の青年だったという。

父の遺伝子か商売には興味があった。友人と共同で食料卸売りを始め、そこで得た資金をもとに新たに建設される製油所の事業に投資した。

製油所のノウハウを学ぼうと会社の経営に携わり、やがて独立して製油所を経営する。折から南北戦争後に起きた西部開発ブームで鉄道網が発展したが、この鉄道網を利用して製品の販売に乗り出し、一八六八年には二つの製油所とニューヨークに販売子会社を持つに至ったのであった。

それから二年後の一八七〇年にスタンダード・オイルを設立し、取り憑かれたように凄まじい勢いで全米の小さな製油会社の吸収合併を開始した。

僅か十数年で全米に二万の油井、四千マイルのパイプライン、五千台のタンク車、十万人以上の従業員を抱えて石油産業を独占。全盛期には世界シェアの九十パーセントを独占したのであった。やがてスタンダード・オイルは、トラスト法に基づいて三十余社に分割されてしまったが、分割後も決してその力を失うことはなかった。

「セブンシスターズ」とは、独占禁止法による分割後のスタンダード・オイル三社（ニュージャージー・カリフォルニア・ニューヨーク）と、一八九七年に設立されたシェル、一九〇九年に設立されたアングロ・ペルシャンと一九〇一年設立のテキサス、一九〇七年設立のガルフの七社を指す。

シェルはユダヤ人のマーカス・サミュエルが来日した際に、横浜近郊の三浦海岸で見つけた貝殻があまりに美しかったので、帰国後、ロンドンに貝殻細工の店を出し大成功し、その資金で次々と事業を拡大して、最終的には「タンカー王」と呼ばれるようになった。

やがて息子たちが石油産業に進出して、ボルネオの油田開発に成功、一八九七年にシェル・トランス・ポート&トレーディング・カンパニーを設立した。社名やマークも父親が始めた貝殻販売に因んでいる。

アングロ・ペルシャンはイランと契約を結び、一九〇八年に中東で最初の油田を発見した。事業に巨額な投資をしたパーマ・オイルが翌年操業した会社、のちにブリティッシュ・ペトロリアムとなった。

テキサス、ガルフ両社は、アメリカのテキサスでの油田開発の成功によって世界的なメジャー・オイル・カンパニーになった。

中東では「セブンシスターズ」に代表される、オイルメジャーが中心となり欧米先進国が湾岸諸国で次々と石油利権を獲得した。一九三二年に建国したサウジアラビア、一九五八年に建国したイラク、一九六一年建国のクウェート、一九七一年建国のバーレーン、カタールとアラブ首長国連邦。

当時、アラビア湾に面する地域では、石油に関する国営会社や担当する官庁は存在せず、すでに建国していたのはイランとサウジアラビアのみ、それ以外は建国前だった。欧米諸国の巨大石油会社は、各地域を支配していた石油の知識に乏しい各部族長と、個別に石油利権契約を結んだのであった。

イランはイギリスが優位に立ち、サウジアラビアはアメリカの会社が独占、イラクは各社で獲得、クウェートはイギリスとアメリカ。アラブ首長国連邦の海上油田はイギリスが三分の二、フランスが三分の一と切り分け、陸上油田は各社で獲得など、比率は一律ではなかったが中東の石油を欧米諸国が「自由」に牛耳ったと言っても過言ではなかった。

言葉は悪いが、その頃の中東は、石油を求める先進諸国がほしいままに、手あたり次第の「草刈り場」状態だったと言っていいだろう。

こうして、中東において、オイルメジャーは利権契約という道具を使って、中東における「石油の探鉱と開発投資」、「原油の生産量管理」、「原油と製品の販売と価格管理」の権利を独占的に獲得していった。この権利をもとに、メジャー・システムと言われるカルテルを形成して、世界の石油市場と価格を支配したのであった。

## 上流・下流

石油開発は、千三つと言われていることは、先に述べた通り。

石油発見の不確実性と巨額の投資額に比べ、一度発見してしまえば操業費は安価で「ぼろもうけ」が当たり前の世界である。

石油発見に成功した企業が新規参入しようとする企業に対し、原油の安売り攻勢をかければ、短期的に見ればライバルにダメージを与えられるが、長期的には共倒れとなってしまう。お互いが安売り競争になって投資に見合う利益が得られなくなるからだ。そこで二つの企業は、お互いに価格競争しないようカルテルを結んで、二社で利益を独占する。中東でとられた方法である。

つまりオイルメジャーは、お互いの利益を守るためにカルテルを組み、異なる地域で、異なる比率の権利という条件を超えて、石油利権の所有と事業、情報交換と生産管理を共同化し、上流と言われる原油生産部門から下流にあたる石油製品販売部門まで一貫して統合し、公示価格制度という名のもとに一方的に値決めして、販売価格も共同で管理したのであった。

わかりやすく言えば、遠く離れた中東やイランで生産された原油を船で欧米やアジアに運び、精製した原油を消費地のガソリンスタンドに届けて販売するまで、当時のオイルメジャー各社はすべてを独占したと言っていいだろう。あたかも山に降った雨が水源となって、川となり、海に注がれるように、切れ目なく上流から下流までと言われる仕組みを第一次大戦前後に作り上げたのだ。

オイルメジャーは税制を利用することも忘れなかった。国際企業であるオイルメジャーは、自国と産油国の二重課税を避けることはもちろん、税率の高い自国での納税額を抑えて、産油国での納税を選んだ。オイルメジャーは、産油国で利益を蓄積することで新規投資が容易になるメリットがある。産油国は多額の税収を得るが、その多くは欧米諸国に武器輸出などの貿易や資金運用の名目で還元された。

ちなみに、私が勤務していたハッシ・バーミ社も、この仕組みの恩恵を受けている。ハッシ・バーミ社はブリティッシュ・ペトロレウムによって設立された会社でイギリス国籍だ。原油生産によって得られる利益は、イギリスの税務当局にはシリングトンと言われる、ほとんど名目的な額を申告しているにすぎない。

ハッシ・バーミ社は原油の売上げから利権料と操業費や設備投資の減価償却費を経費として差引いた額に、利権契約で取り決めた税率をかけて産油国に納税している。その残りは利益として日本のユニークオイルが得ている。ユニークオイルはハッシ・バーミ社の設備投資と操業費を負担する見返りに、ハッシ・バーミ社が生産する原油を原価で引き取る権利を持っているため、ユニークオイルは、原油の売上額と原価の差額を利益として得ているのだ。

わかりやすく言えば、利権契約を基に、アラビア半島の石油は外国の企業が生産して外国企業の本国に売られ、石油の売上から産油国は利権料と税収を得る。外国企業は、利権料と経費にあたる操業費と設備投資の減価償却費を回収した残りの額から税金を支払い、残りが外国企業の利益となる。

ハッシ・バーミ社の株式をブリティッシュ・ペトロレウムからユニーク・オイルが取得して実質的な事業主となった後もハッシ・バーミ社はイギリスの会社のままで、産油国でもユニークオイルがある日本でもない。その理由は名目的な利益に対する微額の納税で済む既得権を適用するためである。

この仕組みはオイルメジャーであるブリティッシュ・ペトロレウムが、一九六〇年代に作り出したものだが、知れば知るほど仕組みの巧緻さに驚くばかりだ。

こうして中東を牛耳り、君臨したオイルメジャーは一九六〇年代に、ついに黄金時代を迎えた。第一次大戦前後に成立した仕組みが第二次世界大戦の後も維持されたからである。つまり第二次世界大戦の戦勝国が石油を独占し続けることとなったのだ。

産油国は独立を果たすまで、この仕組みに口をはさむ余地がなかった。

敗戦国の日本も上流部門に参入する余地はなく、オイルメジャーが上流部門に利益を集中させ下流部門の利益を圧縮する仕組みの下、利益の薄い下流部門の精製と販売だけが日本に許されていた。

## 反撃

搾取に近い仕組みに置かれていた中東の産油国が、オイルメジャーに反撃の狼煙を上げたのは第二次世界大戦が終結して十五年後のことであった。

一九六〇年、サウジアラビア、イラン、イラク、クウェート及びベネズエラの五か国が石油輸出国機構（ＯＰＥＣ）を結成したのである。

ＯＰＥＣは国際石油市場において安定的な価格を確保する方策の実施、加盟国間の政策を調整、産油国に妥当な収入を確保、消費国への安定的かつ効率的な石油供給、石油産業に公正な投資収益を確保することを目的に結成された。

「もう、先進諸国の言いなりにはならない」という産油国側の決意が明らかに見てとれた。

ＯＰＥＣにアラブ首長国連邦やカタールなども参加して、加盟国は十二か国となった。とはいえＯＰＥＣ加盟国が石油の供給と価格の主導権を握ったわけではない。なぜなら、当時は未だ産油国自身に石油の開発と生産に必要な技術力が伴っていなかったためである。ＯＰＥＣ結成した後も開発と生産操業はオイルメジャーの技術力に依存せざるを得ず、一九七〇年代初めまで、石油は安価なエネルギー資源であり続けた。

明らかな変化となったのは、一九七三年の第四次中東戦争であった。これを契機にＯＰＥＣに加盟する中東湾岸諸国が、油価の公示価格を直前の三ドルから十二ドルに値上げしたのである。この油価急騰で第一次オイルショックが発生した。さらに一九七九年の「イラン革命」により、イランの原油生産が止まり第二次オイルショックに繋がった。

一九七一年までに湾岸諸国はすべて独立国となったが、独立によって石油利権のすべて、または一部を国有化する契機となった。湾岸産油国は、国営石油会社を設立し、自らが主導権を握って石油行政と産業に携わるようになり、やがて産油国民自身が生産管理を始め、石油契約など、すべてに参画するようになった。産油国が石油の所有権は自らにあると目覚めたことで、オイルメジャーは中東での力を失うことになった。

振り返ってみると、オイルメジャーが石油利権を支配していた時代は確かに石油価格が安定していた。石油利権が国有化されて以降、湾岸産油国あるいは周辺国で紛争や政変が起るたびに、OPECが石油価格を管理する方針によって石油価格は大きく変動したのである。第一次と第二次オイルショックは、その典型的な事例だ。

オイルショックによる油価高騰の対抗策として、日本を含めた消費国は産業の効率化や省エネなどを進めた。その結果、一九八〇年代後半に需給バランスが崩れてしまい、今度は油価が暴落してしまった。OPECはすべての産油国が加盟していないため、価格統制機能は十分ではない。オイルショックの反動ともいえる油価の下落局面で、OPEC諸国は生産を調整し価格維持を図ったが、油価のコントロールはできないことを思い知らされた。

このような油価を決定する歴史的経緯をふまえ、一九八〇年代後半になって整備された「原油先物市場」が、今では油価の決定者となっている。しかし、原油先物市場は、多くの投資家による巨額な資金が流出入する投機的な市場である。投機の成功と失敗は石油の価格を不安定にする要因となっているので、原油の価格は生産原価で決まらないことに変わりはない。

産油国は油価をどのように考えているのだろうか。多くの湾岸産油国は、財政支出から逆算して油価が七十ドル以上でなければ、国家財政は苦しいと言っている。莫大な利権料と税収を得ているのになぜだろうか。

産油国は広大な国土に比べて自国民は少ない。イラン、イラクを除く湾岸諸国の自国民の割合はわずか二割に過ぎない。残り八割はイラク、パレスチナ、エジプト等のアラブ諸国と圧倒的多数のインド人とパキスタン人の出稼ぎ労働者で占められている。湾岸諸国が外国人に主導権を取られないような仕組みを作ることは理解できるが、そのために費やす治安維持費用は莫大だ。

王制国家を支える国民には福利厚生コストを惜しむわけにはいかない。対外的には、裕福なことを妬まれないように近隣諸国を始め多くの国に多額の資金援助をして資金が大きく流出している。

さらに産油国の莫大な石油収入を狙って欧米諸国は武器を輸出している、消費国である欧米諸国が産油国に石油に支払った石油代金を取り返そうとしているかのように。アメリカなどは、シリア、イエメンの国際紛争や内戦に介入して、産油国に多額な軍事費を負担させている事実がある。豊かで無税を売り物にしていたアラブ首長国連邦は二〇一八年から消費税を徴収し始めた。産油国の懐具合は決して豊かでないと言っていいだろう。

では石油会社にとって油価はどのような位置づけなのだろうか。理屈の上では、利権契約の仕組みは産油国と石油会社の利害は一致する。油価が高い低いにかかわらず、原油の生産コストが下がれば産油国は税収が、石油会社は利益が増えるので双方にメリットがある。

油価が高い時は新規投資の意欲が旺盛になる。石油開発会社では地質、油層工学、石油工学の専門家が油田で最適な油井の掘削場所を決めているが、油田の大きさに比べると井戸の数は限定的である。

一般的に井戸数を増やすと原油の生産量は増えるが、井戸は一本で数十億円の費用が掛かるので、油価が低い時は費用対効果の検討で費用回収できないと判断した井戸も油価があがれば掘削可能となる。その結果、生産増に繋がり、産油国と会社の利益も増えることになる。

一方、油価が低くなると利権料は単純に油価に比例して減少、税収は売上が減っても原価は比例して下がらないので産油国の税収は激減する。このような状況では産油国も会社に対して厳しい対応をする。第一次、第二次オイルショックで一バレル三十ドルを超えた油価は、一九八六年に七ドルまで下落した。

当時、監督官庁は生産操業会社に操業費を削減するよう、厳しく行政指導を行った。その後も油価は約十年のサイクルで低迷したが、その度に産油国からコスト削減の指導を受けている。低油価では監督官庁からコスト削減として、社員のリストラを強要されるが、石油会社の社員にとって低油価は社員の首に繋がる恐ろしい事態なのだ。

油価が安定していることは、消費者のみならず、石油産業に関わる供給者にとっても望ましいことなのである。

この章で石油に関する知識として、石油産業の歴史、油田の成り立ちや石油の採掘と生産、石油が持つ特性、油価の決定メカニズムについて、できるだけわかりやすく解説したつもりである。

石油は社会生活を営む上で不可欠な基礎エネルギーである反面、世界経済を翻弄し時として獲得を巡って国と国の戦争に発展するほどの魔力を秘めていることをおわかりいただければ幸いである。

# 第四章
# 素晴らしき仲間たち

## 噂

これから書く話は、外資系企業や多国籍企業に勤務された経験がある方なら、思い当たる節があるかもしれない。

私がハッシ・バーミ社に赴任した当時は、建設プロジェクトの最終段階で生産操業に向けて準備を進めていたが、在籍していた日本人社員の多くは、例えていえば中国故事の「梁山泊」のように、専門知識を持ち決断力と実行力を備えた、ひとかどの人物の集まりだった。

それに比べ、現地雇用された社員と言えば、得体の知れない海千山千の「曲者」たちであった。「曲者」とは、表現上、厳しすぎるかもしれないが、当時、若輩だった私にはそう思えた。

私が洋上施設での勤務を終え、ハッシ・バーミ社の総務部に異動した時、社内には二人の同僚がいた。

一人はイラク人で「パブリック・リレーション・オフィサー」という、日本ではあまり馴染みのない肩書を持っていた。

この彼がまさに「曲者」で、従業員の就労ビザや洋上施設訪問許可証の取得と管理、その他の官庁申請手続きと家具付き社宅の手配等が主な担当だったが、つねに「黒い噂」がつきまとっていた。

その男の名はムタワ。彼の一族はフセイン勢力の弾圧を受け、ＡＵＨ国に避難してきた。彼の兄はＡＵＨ国に帰化した弁護士で、私の飲酒裁判に遅刻してきた男である。

一九八〇年代半ば頃までは、産油国における人材不足もあって、産油国の企業の要職には、アラブ人のテクノクラートが重宝されていた。

彼らは「俺たちのお陰で、この国がやっていけるのだ」と言わんばかりに横柄な態度がまかり通っていた。イラク人、パレスチナ人やエジプト人、スーダン人が国ごとにグループを作り、グループ内の同国人がお互い便宜を図りあい、さらに王族からも庇護を受け、産油国内で隠然たる力を蓄えていったのだ。

官庁申請をする側と許可する官庁側が同国人であれば、癒着が起き、不明朗な金銭の授受に繋がることも不思議ではない。

そうした状況に変化が起きたのは、八十年代後半頃からだ。国外留学していた産油国の国民がテクノクラートとして続々と帰国して、行政部門や国営石油会社に登用され始めたからだ。アラブ人のテクノクラートたちが占めていた要職は、国民社員に取って代わられ、アラブ人たちは専門職や補助職として組織に残ることとなった。

さて、私が総務部での勤務を始めたころは、いまだアラブ人のテクノクラートの全盛期で、彼らが闊歩していた時代であった。

先述のムタワ氏は、就労ビザの取得責任者だが、監督官庁が日本人の就労ビザを許可しないと会社に報告してきた。利権契約と労働法には、産油国民を最優先雇用せよと明記されているが、当時は産油国には人材が不足していたので、外国人の雇用が自然だった。

監督官庁からは、産油国民が採用できなければ仕方ないが、アラブ人を優先雇用し、日本人の就労は最劣後との行政指導があった。

この行政指導に、ムタワ氏が関わっていたかわからない。だが、ムタワ氏はこの行政指導を奇禍として、自分の親族を多くハッシ・バーミ社に入社させた。

社員が入社すると、家具付き社宅の提供を受け、その費用は会社が全額負担する。ムタワ氏は、社宅家賃と家具購入でキックバックを受けているという悪い噂が絶えなかった。だが、その証拠が掴めないままであった。

## アル中社員

もう一人の同僚は総務担当のスーダン人、スレイマン氏だった。

彼は国費留学でイギリスの大学を卒業した経歴を持つ大変なインテリで、英文を作る時はずいぶん世話になった。

彼の仕事ぶりはイギリス流なのか、自分の担当外には一切口を挟まず、担当の仕事はきちっと仕上げるタイプだった。産油国には外国人労働者が多く、年に一度、まとめて有給休暇を取り本国に帰国する制度がある。もちろん、ハッシ・バーミ社にも同様の制度があったが、私の帰国休暇中はスレイマン氏が私の仕事もこなし、スレイマン氏が休暇の時は私が彼の仕事をこなしていた。そうやって、お互いの仕事をこなしあうことで、考え方の違いも含め理解しあえるようになった。

一度、彼が有給休暇が終わったのに出社しないことがあった。他の人ではよくある話だが、責任感の強い彼がどうしたのだろうと訝しく思っていたところ、彼から電話があり、マラリアに罹ってしまったとのこと。日本人であれば大変だと騒ぐところだが、スーダンでは、ちょっと厄介な風邪を引いた程度で、実に平気そうなのには驚いた。

冷静沈着なスレイマン氏だったが、そんな彼も失敗したことがあった。

洋上勤務期間中は禁酒なので、本国に帰ると浴びるように酒を飲む人がいるが、本国から戻っても飲み続けて、洋上勤務ができない社員がいた。

スレイマン氏は敬虔なイスラム教徒で、飲酒には不寛容だ。断酒治療が必要だと主張し、その社員を入院させた。それからだいぶ日数が経過した後、洋上施設からの問合わせを受け、スレイマン氏は社員を断酒治療させていたことを忘れ、病院に放置していたことに気がついた。

スレイマン氏と私が慌てて病院に行ってみると、断酒治療者は精神病棟にいた。私たちを見た社員は、最初は退院できると喜んでいたが、次第に怒りだし、スレイマン氏に発狂寸前だったと文句を言った。

よほど辛かったのか、退院後は二度と酒は飲まないと誓ったけれど、洋上勤務のストレスからか飲酒は続き、結局、仕事を辞めざるを得なくなった。スレイマン氏は親切な男だが、この時は珍しく冷たい態度で退職手続きを事務的に済ませた。飲酒男に対して同情せず、自らの信仰に従ったのだ。

私は自分の飲酒裁判を思い出し、イスラム社会で生活することに改めて緊張感を覚えたのであった。

そのスレイマン氏は一九八〇年代後半にハッシ・バーミ社を退社し、スーダンに戻って大学教授となった。国費で留学した彼に相応しい仕事が見つかったと、私は彼の新たな門出を祝する気持ちで送り出した。

## ポルシェ

その後、一九八五年、新しい同僚ができた。私の前に「ロッキー」こと、ハリウッド俳優のシルベスタ・スタローンにちょっと似た、太めの男が現れた。

彼はQA人で、名はアブドーラ・セーラム。ハッシ・バーミ社取締役アル・アーリ氏の妻の弟であった。

セーラム氏は、アメリカのシカゴからQAに戻ってきたばかりだった。

彼は、アメリカの大学に留学したものの中退し、フリーランス・アーティストとして生活していたが、二十代後半になって帰国を思い立ったという。アメリカ滞在中にフランス人女性と結婚したが、当時のQA国は、QA人が異教徒の外国人と結婚すると結婚相手のビザも下りず、本人も職に就けなくなるという、極めて保守的、排他的な環境であった。

困ったセーラム氏が義兄のアル・アーリ氏に相談すると、アーリ氏は自分が取締役となっているハッシ・バーミ社に縁故入社させることを思いついた。ハッシ・バーミ社は、ＱＡとＡＵＨが半分ずつ所有権を持つ油田の操業会社なので、ＱＡ人の特権を維持したままＡＵＨで生活できる。

ＡＵＨとＱＡは車だとＳＡ国の国境通過手続きを含めて四時間程度、飛行機だとわずか三十分の距離だ。ハッシ・バーミ社にセーラム氏が入社したのは、そんな理由からであった。

会社は彼のために新しくポストを用意し、彼の経歴から判断して総務部に配属した。当時、私が担当していた仕事の一部を分離・分割し、セーラム氏は洋上設備のケータリング監督業務や洋上設備勤務者の労務、総務の仕事を担当することになった。

必要ないポストを国民社員のためにわざわざ作り雇用するのは珍しいことではない。組織にとって不健全であったとしても、言わば、人の農地で収入を得ている小作人のような立場のわが社は、産油国の要望は聞かざるを得ない。

大した期待もせずに雇用されたセーラム氏だったが、私はセーラム氏とともに洋上施設を訪問し仕事の引継ぎを始めた。すると彼は実に呑み込みが早かった。彼は洋上施設で勤務する人たちにとって、いかに食事が大切か実感して、ケータリング業者を厳しく監督した。

特に衛生面にこだわった。閉鎖された洋上施設で食中毒が起きると最悪の場合、操業停止になってしまう。これは産油国や会社にとっても致命的だ、絶対に起こしてはならない。ちょっとした汚れでも許さない、ガミガミとケータリング業者を叱る姿はまるで小姑のようだった。

その一方で、ケータリングスタッフは六か月も連続勤務が強いられていたが、そのことを知ったセーラム氏は、ケータリングスタッフの待遇改善を求めて業者の責任者と交渉するなど、叱る一方ではなかった。

だが、業者のマネジメントに対しては常に厳しく、食材の品質改善を要求した。食材は十日に一度、冷凍、冷蔵、乾物の三種類のフード・コンテナを洋上施設に船で輸送しているが、彼はコンテナが陸地を出航する前に品質検査を行った。傷んだ食材を見つけた時は業者に直ちに取り替えさせるなど、口先だけではなく行動が伴う仕事をした。

セーラム氏は、労務管理のうえで洋上勤務者と雑談することが重要な仕事だと言う私の説明を理解し、役職や階級にかかわらず、積極的にすべての人と心を開いて話をした。洋上勤務者も勤務を終えて陸上に戻ってきた時には、本国に帰るまでの短い時間を惜しまず、セーラム氏に会いに来て、より親密な関係を築いていった。

私も仕事の引継ぎを通じてセーラム氏と急速に親しくなったが、洋上施設で彼から耳を疑うような話を聞いた。

ある日のこと、いかにも誇り高いベドウィーンそのものの産油国民の少年が会社を訪ねてきた。聞けば、AUH市の隣国であるDXBが本拠の名家マザローイ家という部族の一員だという。名前はハリル・マザローイという。当時の国営石油会社総裁も、同じ部族の出身だ。丁重に扱う必要がある。

一応は面接はしなければと思い、セーラム氏と私がマザローイ君に会うことになった。前もって、履歴書と学校の卒業証明書を持参して来るようにと伝えていたが、彼は何と中学の百メートル競走で一等賞になった時の賞状を持ってきた。

お前は馬鹿か、などと口が裂けても言えない、やむを得ず、他に何かないのかと聞くと、マザローイ君はそっけなく「ない」と返事した。

履歴もわからない者は採用できない。総務部長にマザローイ君を不採用にする旨を報告したが、国営石油会社から「彼を雇え」と言われているとのこと。日本では考えられないが、部族社会の中東では、こんな行政指導は日常茶飯事だ。

マザローイ君は採用され、パブリック・リレーション担当のムタワ氏の部下となった。新入社員のマザローイ君に与えられた仕事は、洋上勤務者の新規雇用者や訪問者のビザ取得だったが、彼は会社にまったく出社しない。ビザ申請書類は彼の机の引き出しに入ったままである。

ビザが取れずに訪問者が入国できず、多くの部署で仕事が停滞した。突き上げを食らったムタワ氏はマザローイ君に代わって自分でビザ申請せざるを得ず、何で俺がしなければ、とばかり、彼も怒りが収まらなかった。

セーラム氏がハッシ・バーミ社に入社した時、QAからAUHにスポーツカーのポルシェを持ち込んでいた。彼にとって唯一の財産だというくらい大事にしていたが、ある日、マザローーイ君が「ポルシェを貸してくれ」とセーラム氏に頼み、気の良いセーラム氏は応諾した。そして「これはスポーツカーだから、暖気運転をして、エンジンが温まってから発進してくれ」とマザローイ君に注意した。鍵を受け取ったマザローイ君は、忠告も何のその、エンジンをかけるや否やスロットル全開で発進し、あっという間にどこかに行ってしまった。すると、五分も経たないうちにマザローイ君からセーラム氏に電話がかかってきた。マザローイ君は「突然、動かなくなってしまった」という。

セーラム氏は「だから、言わんこっちゃない、ポルシェのディーラーに診てもらう」というと、マザローイ君は「自分が知っている修理工は、部品さえあればロケットでも組み立てられる」と言った。

セーラム氏は半信半疑だったが、地元の有力部族が言うからには間違いなかろうと「わかった、任せる」と答えた。一週間後、修理が済んだかセーラム氏がマザローイ君に聞いてみたところ、マザローイ君はポルシェを壊したことすら覚えておらず、セーラム氏は修理工の連絡先を聞いて直接確認してみると、修理工はエンジンを分解して組立てたら部品が余ったという。

部品が余る？　そんなはずがあるか、エンジンは二度と動くことはなく、セーラム氏のポルシェは廃車になってしまった。それだけではない。「修理工はボディは無傷だから返すと言っている」とマザローイ君が聞いてきた。セーラム氏は、もう修理工に関わり合いたくなかったので「いらない」と返事した。

すると修理工は、中古の日本車にポルシェのボディを取りつけて高額で転売してしまったという。セーラム氏はマザローイ君に弁償しろとも言わず、マザローイ君も知らん顔。その後、セーラム氏は通勤にタクシーを利用する羽目になったが「国民社員でタクシーに乗っているのは俺だけだ」と嘆いていた。

セーラム氏はマザローイ君はひどい男だと怒ることもなく、私にこの話を面白おかしく聞かせてくれた。

私はこの国の人たちのおおらかさに驚きながらも、やはり理解できないと思ったことを覚えている。

マザローイ君のその後が気になったので調べてみた。

一九九〇年に発生した湾岸危機でこの国も徴兵制が敷かれたが、その際、彼は軍隊で落下傘訓練を受けたそうだ。いまだ心の準備もできていないうちに、上官から蹴飛ばされて飛行機の腹から落下し、どうやって落下傘を開けばよいかわからず死ぬほど怖い思いをしたそうだ。

その経験が心境に変化を生じさせたのか、これを機会に心を入れ替えると言ってハッシ・バーミ社を退社し、今は国立病院で事務担当職員として真面目に働いている。

セーラム氏は、当時のハッシ・バーミ社では数少ない産油国民社員だった。産油国政府の職員が技術諮問委員会などの会議に委員として出席する時は、必ずセーラム氏を訪れ、彼の働く様子や不平・不満がないか確認していた。

その際は、常に私も同席していたので段々と両国委員と私の距離は近くなっていった。委員たちや監査人が、ムタワ氏に関する悪い噂を聞きつけるのに時間はかからなかった。

会社に対して、ムタワ氏が行った悪事の証拠をつかみ、規定に基づいて対処しろと命じてきた。だが、明白な証拠はつかめない。最終的にQAの諮問委員会メンバーから「早期退職扱いで退職させろ」と命令に近い要求を受けて、私とセーラム氏は対応を相談した。

当時は油価が低迷し産油国から厳しく費用削減を求められていたので、これを利用して定年年齢を引き下げ、ムタワ氏が該当するとして、ついにムタワ氏追放が実現した。

空席となったムタワ氏のポストにはセーラム氏がついた。産油国の人事とはこういうものだ。

## 将を射んとすれば

あれは、一九九〇年代初め頃のことだったと思う。

AUHの先代首長の側近で、テクノクラートを多く輩出している名門部族の族長から、日本の石油開発会社に文化施設の建設や殖産興業に協力要請があった。

具体的には「プラネタリウムや水族館を作りたい」と言われ、日本国内の施設を周り俄か勉強した。他にも「伝統産業の養殖真珠を再興したい」との要請があり、日本国内の養殖真珠会社にお願いして、海洋調査を行った。結果は養殖に不向きで、端的に言えばすでに死んだ海との評価だった。日本の真珠会社もすでに調査済みで結果はわかっていたようだ。石油開発に伴う海洋汚濁が原因だ。

結局、文化施設や殖産事業も立地場所が決まらないなどの理由で立ち消えになってしまった。だが、話は、それだけで終わらなかった。

族長の息子は、博物館と美術館や文化施設を兼ねた文化財団の館長で、絵画、音楽、映画、放送などの文化事業にも造詣が深い。今度は「日本の放送技術と文化財を導入したい」と協力要請してきた。

この要請に応えれば、首長の側近が恩義を感じ、首長に新たな鉱区取得の口利きをしてくれるだろうと、この国に繋がりを持つ石油会社は競い合って協力した。産油国に恩を売る絶好のチャンスというわけだ。

ユニーク・オイルの社長は「将を射んとすればまず馬を」と社内に号令をかけ、会社をあげて積極的に協力することとなった。

やがて文化財団館長と秘書が来日し、要請を受けてＮＨＫや文化施設を訪問したが、私がアテンドすることになった。館長が「音楽のＣＤや映画のビデオを買いたい」というので、秋葉原に一緒に行った。館長は、自分が気に入ったジャンルの音楽を棚の端から端まですべて買い占めた。こんな爆買いする人が本当にいたのだと驚いた。

何とおつきの秘書は赴任早々に飲酒の一件で世話になったムタワ弁護士の娘だった、狭い社会だ、彼女が支払いにてんてこ舞いする姿を見て気の毒に思った。

その後、協力事業の要求はエスカレートして、民間会社が対応できるレベルを超えてしまった。私は社長に「『将を射んとする者はまず馬を射よ』はわかりますが、射るはずの馬に好き放題に蹴られて、もう我慢の限界です」と訴えた。

新たな利権契約を狙った下心が見え見えの協力はうまくいかない、社長も仕方がないと事業協力は立ち消えになってしまった。なまじ豊かな産油国に対する協力事業の難しさを感じた事例であった。

## 仲間入り

セーラム氏は、ムタワ氏の後任としてパブリック・リレーションを担当していた。九〇年代に入ると、産油国から国民社員を幹部職に就けろと、圧力を受けるようになった。断れば産油国が部長候補を送り込んでくるのは間違いない。会社は自発的にセーラム氏を総務部長に昇格させることにした。

部長となったセーラム氏の仕事部屋には、十人ほどが座れるソファが置いてあり、アラブ人社員がいつも集まっていた。公式会議出席のため、産油国の代表が来社した時は真っ先にセーラム氏の部屋に来て、アラビック・コーヒーを飲むことが慣例であった。

このような時は、私も常に同席することにしていた。これは、この国で仕事をするうえで、とても重要なことで、後に、大いに役立つこととなった。

彼らはアラブ人同士だから、当然、アラビア語で話しているが、時折アラビア語に翻訳できない英語などの単語が入るので、私にもどのような話題を話しているか大体わかった。

生産操業を開始した当初は、日本人社員と産油国民・現地雇用社員の信頼関係は十分構築できておらず、日本人が日本語、産油国民・現地雇用社員がアラビア語で話をすると、お互いが相手の悪口を言っているのではないかと、疑心暗鬼になった。

そのため、社内の共通語である英語で会話することが絶対条件だった。操業を開始してから十年以上経過し、産油国民が部長職に就いて、社内も安定してきた。アラビア語や日本語で話し合っていたとしても、誰も気にならなくなってきた。

むしろ、私は、日本人だけが、日本の企業文化に閉じこもっていることが気になった。セーラム部長の部屋にＡＵＨやＱＡの産油国民とアラブ諸国出身の異なる国籍の人々が集まり、極めて自然に開放的な社会を構成しているのに対し、日本人だけが別の部屋に集まって日本語で話している姿は奇異に感じるようになったのだ。

最初に赴任した時は家族を帯同し、日本人社会に依存する生活をしていた私が、日本人社会を奇異に感ずるということは、私自身が変化したことに他ならない。私はなぜ、変わったのだろうか。

一つの答えは、勤務環境だった。

会社の雇用は産油国民優先だが、当時はまだ技術系は国全体でも少なく、技術系の優秀な学生は国営石油会社に入ってしまう。

ハッシ・バーミ社は民間企業なので、採用できる国民社員はほとんどが文系、配属先は総務部、経理部、資材部に限定されてしまう。特に総務は誰でもできる仕事だと思ったのか人気が高く、国民社員の比率が一番高い部署となった。

二度目に赴任した一九九〇年代半ば、総務部の日本人社員は私一人、半数が国民社員で残る半数はイエメン人、パレスチナ人、スーダン人、インド人たちだった。

部内では日本人社会どころか、日本語での会話の機会すら少なくなっていた。この勤務環境によって私の意識もかなり変わってきたようだ。

例えば、私が日本語で話す時は、日本の社会常識と企業文化で物事を考える。ということは、多国籍社員が働くハッシ・バーミ社内の出来事を、私は日本の会社で培った「日本の常識と文化」で判断していたことに気がついたのであった。

私はこれまで「公平に」と言ってきたが、私が考える「公平」の尺度は日本の企業文化の尺度に過ぎなかったのかもしれない。それは多国籍社員にも通用する「公平」だったのだろうか。最初のハッシ・バーミ社勤務時はもちろん、二度目の勤務でも私は日本の企業文化を前面に押し出して仕事をした。

日本式、それも日本ですら、すでに古びてしまった高度成長時代のやり方だった。

「社員みんなに受け容れられた、国籍や人種に違いはない、人は同じだ、私はハッシ・バーミ社の文化を新たに創出した」と思っていたが、それは単なる自己満足、一人よがりだったのではなかったか。私は上司となったセーラム部長や新たに同僚となったアブ・ハジムとは、仕事の打ち合わせ以外もよく話したが、彼らの国の文化や歴史、いま住んでいるこの国のこと、彼らの生活のベースになっているイスラム教など、ほとんど何も知らないことに気がついた。

省みると、「日本人社会に閉じ籠っている」と日本人社員を批判していた自分自身も五十歩百歩だった。これじゃあ、いけない。せっかく、中東で勤務する機会をもらったのだから、謙虚な気持ちでアラブの文化に接しようと考えた。

それまでアラブ人の集まりに参加しても、アラビア語がわからず黙って座っているだけだったが、何を話していて、その話題をどう考えているのか、なぜそう考えるのか、興味を持つことから始めた。

最初はアラビア語で会話している最中に、英語で質問することで話の腰を折ってしまい、面倒そうな表情で説明してくれたが、徐々にアラビア語で話す途中に英語で説明するようになった。時間はかかったが、アラブの人たちが、どんな話題に興味があるのか、なぜそう思うのか、段々と理解できるようになった。

そのうち彼らは私が常にいることに違和感を感じなくなったようで、自然と仲間の一員になった。みんなで食事に行く時は誘われる、誰かの家に集まる時は必ず呼ばれる、誰かの家族に不幸があった時はみんなと一緒にお悔やみに行く。楽しい時も悲しい時も一緒に仲間と過ごすうちに私自身もアラブの文化に違和感を感じなくなった、いや、むしろ心地よく変わっていった。

そのうちに、アラブと日本の文化に相似点が多くあることに気がついた。

家では靴を脱ぎ、裸足で過ごす、食事は床にあぐらをかいて食べるといった生活文化や、日本で三世代が一緒に暮らす家庭は少なくなったと思うが、アラブの文化では今でも続いている。自分が幼いころに戻ったようなアラブ人の文化に触れて心地よさを感じたのである。

私は「鼻と鼻をこすりつける」アラブ人同士の最も親密な挨拶を受けると、本当の仲間になれたような気がして嬉しかった。若し、目の前で外国人が食事の前に手を合わせ「いただきます」と言って箸を上手に扱ったら、あなたはその人に興味を持つだけでなく、好感すら持つだろう。

私が実践したことは、アラブ人にとって「いただきます」と同じ効果があったようだ、「郷に入れば、郷に従え」である。

## 御学友

ある時、すごい男が入社してきた。

一九九七年、当時のＱＡ国王の弟で前副首相だったモハメッド殿下の御学友を、ＱＡ国営石油会社の要請でハッシ・バーミ社が出向受け入れすることになったのだ。

その当時、私はハッシ・バーミ社の総務部にいたが、QA国営石油会社の人事部長で王族の一人、シェイク・ハマッド氏から連絡があり、QA国営石油会社の社員を一人、ハッシ・バーミ社に出向させたいという。

シェイク・ハマッド氏とは、十年ほどの付き合いで、フランクに話ができる関係だった。彼は後にQA国営石油会社を退職し、現在は都市計画大臣になっている。私は出向の話を具体化すべくQA国営石油本社を訪れシェイク・ハマッド氏とひざ詰め談判して、出向条件や協定書等の実務的な話を進めた。

そして出向してきた男がアーメド・ジャバル氏だった。

ジャバル氏が初めてハッシ・バーミ社に着任した日、私は、彼に会社の概要説明や導入教育オリエンテーションを行った。そして、その夜、彼を日本料理屋に招待した。ジャバル氏はこれまで日本人との付き合いはなく、日本料理も初めてだと言った。

私は、刺身や焼き魚、牛肉叩きと野菜の煮物などが入ったボックス・ディナーを注文した。料理が来た時に彼が発した言葉が忘れられない。「(刺身を見て) これは料理していないが、何かの間違いか」という。私は「いや、これは刺身と言って日本の代表的な料理の一つだ」と説明した。するとジャバル氏は「日本人はネコか、魚を生で食べるのか」と言った。彼は初日から大きなカルチャーショックを受けたようだった。

アーメド・ジャバル氏は幼いころから王族が住むパレスで暮らしていたという。一学年下のモハメッド殿下が高校を卒業するまで待って、殿下と一緒にアメリカのワシントン大学に留学した。大学を卒業後はＱＡ国営石油会社に入社した。総務部に籍を置き、社員研修の担当を名目に給料を貰いながらモハメッド殿下の執事の仕事をしていたという。

ジャバル氏が三十代半ばになった頃、モハメッド殿下のもとを離れ一人立ちしたいと考えたそうだ。モハメッド殿下も喜んで賛同してくれ、ジャバル氏に餞別としてアラブ馬の競走馬を二頭プレゼントした。

アラブ馬の純血種競走馬は高額だ、馬を売って高い車を手に入れて、出向先のＡＵＨ国の人たちから「さすがはモハメッド殿下のご学友」と言われるようにとの親心だった。

ところがジャバル氏は、ありがたく競争馬を受け取ったものの、どうして良いかわからず、馬を競走馬用ではなく普通の厩舎に預けてしまった。厩舎では馬が欲しがるまま餌を与えたらしく、牛のように肥えてしまい、競走馬として使い物にならなくなったという。

そんなジャバル氏は気前もよくて、人の会計まで平気で払ってしまう。

彼がハッシ・バーミ社に出向した当時の月給は日本円で約五十万円だったが、一週間も経たず使い果たしてしまう。後は同じペースでクレジットカード払いで浪費を続けたが、そのツケはモハメッド殿下に回る、まるで枯れることのない金の生る木があるようであった。

今から思えば、彼らにとって大した金額ではなかったのだろうが、アラブの石油王というイメージ通りだった。

ハッシ・バーミ社に出向したジャバル氏は、私と同じ部署で働くことになった。パブリック・リレーション・オフィサーだ。本来は官庁申請の担当だが、彼は幼い頃からQＡ国の王族と暮し、ＡＵＨ国の王族もよく知っているので、人脈を生かしたトラブル処理を担当した。

トラブルがしょっちゅう起きるわけではない。暇そうな彼と雑談するうちに、すっかり仲良くなってしまった。お互いの文化の違いを理解して、敬意を持ってつき合った。彼は食べ物に好き嫌いがなく、どの国の料理もこだわらずに食べる。刺身はネコの食べ物と言った彼が、週に三度も日本料理店に通い、私にメニューの内容を質問し、店のメニューにあるほとんどすべての料理を試し、いつしか日本食が大層気に入ってしまった。

ジャバル氏が日本食を好きになったことで、重要なことに気がついた。

これまで両国の国営石油会社の人たちや現地の人たちと食事する機会が多くあり、彼らの家、あるいは市内のレストランでローカル・フードをごちそうになることがあるが、では次回は当方が、といって日本料理で返礼することが多かった。

今では、日本食は世界的なブームになっているので現地の人たちにも人気は高いが、当時は絶対に生魚を口にしなかった。私が衛生面の心配はない、刺身は日本食の定番だと説明し、自ら食べて見せても、拒否反応が強かった。

他にも納豆など外国人にはハードルが高い料理がある。さらに豚肉を使った料理は宗教的にタブーだ、豚肉の料理を出すには、調理場を別にしなくてはいけない。醤油や味醂もアルコールが入っているから問題になる。

だがジャバル氏が食事の席に同席する時、彼が現地の人たちに料理の説明をし、彼自身がうまそうに食べると現地の人たちもつられて喜んで食べるのだ。

私の言うことを信用せず、ジャバル氏だけを信用しているのかと最初考えたが、どうもそうではない。日本料理を勧められた現地の人たちは、日頃から自分と同じ料理を食べているジャバル氏も同じ味覚を持っていると思っている。そのジャバル氏が、現地の人たちには違和感のある日本料理を抵抗なく食べている。それもおいしそうに。ならば安心だ、自分の味覚にも合うはずだ、だから食べてみよう。

食べてみると意外と美味ではないか。こうして、ジャバル氏のおかげで、日本料理ファンが両産油国に随分、増えていった。私が説明した日本の文化をジャバル氏が理解し、日本食の例のように咀嚼して現地の人たちに伝わっていく。そして、私がジャバル氏から教えて貰ったアラブと湾岸諸国の文化は、わが社だけに止まらず、現地の日本人社会、さらには日本にいる本社や株主の人たちにまで理解が広がっていく。

だから、両国の国営石油会社に勤務する国民社員の多くの人たちは、私のことをアラブと湾岸諸国の文化を理解し敬意を払っている人間だと認識してくれたのだ。実際に彼らを訪問した時、私を自国民と同じように自然な態度で接してくれるようになった。

## 名刺不要

産油国で仕事を円滑に進めるために、私はジャバル氏とともに国営石油会社を訪問して操業状況の説明をする機会が増えていった。

そんなある時、私が名刺を差し出すのに対し、相手が名前しか名乗らないことに気がついた。日本人は仕事をする時、必ずと言っていいほど名刺を差し出し「どこそこの会社の誰々です」という言い方が染み込んでいて、社名抜きの自己紹介など考えられない。いや、名刺を受け取る相手にとっては、名前より社名や肩書が信用の尺度であろう。

だが、アラブ社会ではまったく逆だ。社名や役職など数年たてば変わってしまうかもしれない。

部族社会の湾岸諸国では、部族名が重要なのだ。部族名を聞けば、どの辺りに住んでいて、どれくらいの力を持っているか、すぐわかってしまうとのこと。

同業他社にAE連邦を構成する七か国の一つで、SHJというDXBに隣接する国出身のウマル・ラシッドという人がいた。

ある日、彼は名前を変えたという。アラブ人の名前は、自分の名、父親の名、部族名の順に名乗り、英語のofに相当するalで繋いでいる。なぜ、改名したのか理由を聞くと、元の名前はエジプト人に多い名前で、アラビア半島の部族名では馴染みが薄いからだという。新たに姓（部族名）を作り出したわけだが、部族名はアラビア半島に住む人たちにとって、それほど大事なものなのだ。

## 見栄っ張り

これもそのウマル・ラシッド改めフセイン・アル・ハッジから聞いた話。

ＡＥ連邦は車社会、ハッシ・バーミ社に勤務する日本人社員も自分で車を購入することになる。しかし日本人社員にとってマイカー購入は大きな買い物なので、自分の滞在年数を考えて、前任者から中古車を譲ってもらうことが多かった。

車種は日本製の中型車が一般的だった。一九八〇年代初頭まで、外国人が購入できる車種はエンジンが四気筒、排気量も制限されていた。産油国民のルーツである砂漠地帯に、外国人が安易に車で乗り入れないようにと考えたのか、いや多分、不慣れな人にとって砂漠での運転は危険だからだろう。社会インフラが急速に整った八十年代後半になって車種の制限は撤廃され、外国人も四輪駆動車を買うことができるようになり、私も砂漠でのキャンプを楽しんだ。

車の車種の話になるとハッジ氏は「日本人がうらやましい」と言う。理由を聞くと、産油国民は最低でもベンツの高級仕様車に乗る必要がある、それ以下だと馬鹿にされ仲間外れになるという。

外国人は一台しか購入できないが、国民は何台でも所有できる。多くの国民は、砂漠を走る四輪駆動車も所有している。かつて砂漠を旅していた時のラクダに代わり、大排気量で高性能の鋼鉄でできたラクダだ。

産油国民は見栄っ張りで、こうして競い合って車に金を使っている、どんな車でも気にせず乗れる日本人がうらやましいというのだ。

さらに彼が言うには、男の民族衣装のディスターシャ。全身を覆う一枚の白いシャツのような服だが、こんな服は汚れたら水洗いで十分と思っているかもしれないが、とんでもない、毎日ドライクリーニングしているという。パリッと糊付けされていなければ、これまた馬鹿にされるという。

彼が力説するのは見栄だとわかっているが、同じことをしなければ仲間外れになる。自分が居たい場所、居るべき場所にかかるコストは半端でない、金がいくらあっても足らないとこぼしていた。

日本も江戸時代に、貧しくても高価な初ガツオを食べる、「宵越しの金は持たない」のが江戸っ子だったと聞いた。産油国民は得た所得をすべて使っても充実した年金があるので貯蓄する必要がないことも見栄の競い合いになる理由なのだろう。

## ドタキャン

さらに彼から教えてもらったのは、AUHとQAの国民性の違いであった。

AUHが属するAE連邦は、アラビア半島のベドウィンと呼ばれる遊牧民文化がベースになっているが、ＱＡは半島の都市国家で海洋民族の文化である。

ＡＵＨは低地で砂州のような土地で、アラビア半島とはクリークと呼ぶ水路で隔てられている。ＡＵＨ人は、内陸部のＢＲＭオアシスに近いＡＮＮ市から一九三〇年代に移ってきた。ベドウィン文化は年功序列に近いという。何かものを決める時は、マジュリスという学校の体育館程の大きさの部屋に集まり、決めるにあたって専門知識が必要ならば、専門家が説明して参加者が質問したり意見を言う。意見が出尽くしたところで、長老が「では、こうしよう」と決定する。これをマジュリス方式という。

一方のＱＡは半島内に良港があることから海洋民族。年功序列で船長を決めたら、船が沈むかもしれない。船長はあくまで能力次第。若くても実力があれば船長になる。これを国に当てはめれば、国王が網元で、各省の大臣や国営石油会社などの国営企業のトップは船頭に当たる。実際、国営石油会社では社長が部長より若く、部長も部下より若い。能力主義が徹底している。だが失敗するとすぐクビになってしまう、いつも緊張でピリピリしている。

さて日本企業はどちらに近いだろうか。年功序列が崩れ始めているのは確かだが、若い船頭に航海を任せるほど実力主義でもない。やはりＡＵＨに近いのではないだろうか。

産油国政府の役人と面会する時は、今はどこもセキュリティ・チェックが厳しく、事前のアポなしに面会できないが、古き良き時代はまさにアラブ流であった。

ジャバル氏は幼い頃から王族とパレスに住んでいたせいか、何事にも物怖じしない。一九七〇年代はＡＵＨよりＱＡの方が社会インフラが整っていて、ＡＵＨの王族の多くがＱＡの学校に通うため、ＱＡ国王族のパレスに滞在していたそうだ。そのせいか彼はＡＵＨの王族にも顔が利く。彼は国営石油会社のテクノクラートたちなど恐れるに足らず、アポなしで突然訪問する。

　すると極めて忙しいテクノクラートは仕事の手を止めて、アラビック・コーヒーを淹れて雑談に応じてくれる。世間話を約三十分、嫌な顔は見せず、突然訪ねてきた人でもていねいにもてなすために所要な時間と割り切っているようだ。多分、彼らは遊牧民の文化が色濃く残っていて「友あり、遠方より来る」は大歓迎、アポ取りの時間を惜しむほど早く会いたかったのだと善意で解釈しているのかもしれない。

　私も何度かジャバル氏と同行し、名刺も出さずコーヒーを飲んで雑談して冗談を言う機会が増えてきたので、自分だけでトライしてみた。

　相手は「あれっ、今日はジャバル君はどうしたの?」という顔をしたものの、私一人でも三十分の時間を貰い、よもやま話をした。おかしいやら、気まずいのはこの後の出来事。突然押しかけたこの時間には、日本の一部上場企業の社長とアポが入っていたようだ。

　アラビック・コーヒーでもてなしを受け、冗談を言い合って気分よくして部屋を出たら、上場企業社長の日本人秘書と目が合った。社長は、テクノクラートの秘書の前においてある小さな椅子にチョコンと座っている。社長秘書は、社長のアポ時間になぜ私がここにいるのか納得できない顔をしていた。そして社長はわけがわからず、不満そうな顔で私のことをじろじろと眺めていた。

中東でアポを前もって取って、何度も確認して訪問したのにもかかわらず、アポをすっぽかされたという話をよく聞くが、こんな事例が理由の一つかもしれない。

私がよく経験したアポのドタキャンは、国営石油会社のトップでも石油大臣でも、国王か国王に近い王族から呼び出しを受けたらそれが最優先、アポはキャンセルだ。この面談のために地球の裏側から来たと、心情に訴えてもまったく通じない。船長は網元の意向に逆らえないのだ。

## 人脈形成術

QAは実力主義の国だから、網元や船長から突然解雇を言い渡され、失意のままに職を離れることが頻繁に起きる。

私の知っているかぎり、これまで何度も取締役や局長クラスの人が解職されることがあった。解職されると人や部下は離れていく。それまで命令する立場にいたのに、急に周りに誰もいなくなれば、心も挫けてしまう。

だが実はこういう時がチャンスだ。日本なら解職されて退社した人といつまでも親しくしていると白い目で見られるが、アラブ社会は違う。私は、例え国営石油会社の役員を解雇された人でも、それまでと変わらず、その人の新しい事務所や自宅を訪れて雑談することにしていた。権限や仕事もないのだから他愛もないことを話すだけだが、相手にとっては忘れられない出来事となる。

なぜなら、この国では解職された人でも数年経てば必ず復権するからだ。生粋の国民の数が少なく、人材が限られていることも復権できる理由だろう。復権した後に訪問すればどうなるか、おわかりだろう。私はそうやってアラブの人脈を築いていった。

例を挙げよう。QA国営石油会社の現CEOは、二〇〇〇年代半ばに石油とガス開発部門のトップである局長に任命された時、前任のヤセル・ジュード局長は憤っていた。

ジュード局長の叔父は元駐英大使で、有力で裕福な部族出身だった。彼は自分の時代が長く続くと思っていたのに、エリート教育を受けていたとはいえ、自分より二十歳も若いシェリダ氏が任命され、よほどこの人事が気に入らなかったのか、執務室をしばらく明け渡さなかったほどであった。

ジュード局長は大物で、それまで近づきがたい雰囲気があったが、解職された後に訪ねてみた。すると、すっかりジュード局長のオーラが消えている。この時初めて、私はジュード局長と楽しく雑談や冗談を言い交すことができた。

その後、ヤセル・ジュード氏は国営石油本社の利益運用会社の社長となり、数年後にはエルサーダ石油大臣の下で、国営石油会社の役員に復帰した。ジュード氏は顧客巡りで毎年秋に日本に出張するようになったが、彼との会食の機会は私にとっても楽しみだった。

## ご招待

「郷に入らば郷に従え」の精神で、日本人社会よりアラブ人との交際を優先していると、アラブ人の家庭に招待されるケースも増えてくる。

そんな時に備えて、覚えておくルールをいくつか紹介しよう。

一日のメインの食事は昼食だ。三食の中で一番ボリュームがある。

夕食の場合、時間にルーズで夜八時に晩御飯に招待されたら、全員が揃うのは九時半とか十時とかになってしまう。なぜかと言えば、彼らは昼食の後に昼寝をする習慣があるが、しっかり熟睡することが多い、だから、この程度の遅刻は当たり前という覚悟が必要だ。食事は全員が揃わなければ始まらない。

では、早く着いたら、どうしたらいいのか。

招待された家に着くと、居間で招待客全員が集まるまで雑談をして待つのが、アラブ式だ。全員揃ったら食堂へ移動する。食堂はテーブルに椅子も最近は多くなってきたが、伝統的なスタイルは、床にじかに大皿を並べ、その周りに全員があぐらをかいて食べるというもの。客への最大のもてなしである。

料理は、羊の丸焼きがメインディッシュのことが多い。主人が客に羊の肉を切りわけて、羊肉の下に敷かれているご飯と一緒に盛りつけてくれる。食べ進むと、何度も何度も皿に料理を注ぎ足してくれる。インド料理もそうだが、客が食べきれないくらいの量を提供するのがアラブの文化である。

招待されていない人が突然参加しても、対応可能な量を準備しておくのが普通だ。

食事中は無駄口をきかず、できるだけ早く食べることが肝要だ。食事は大人の男が先に食べる、その間は奥さんや子供たちはもう一つある家族用の食堂で待ち構えているからだ。招待客がだらだら食べれば、せっかくの料理が冷めてしまい、奥さんと子供たちに不興を買ってしまう。

男たちの食事が終わると、残った料理はすぐさま奥さんと子供たちが待つ家族用の食堂に移され、家族が食べ終わると、次はメイドやドライバー等、使用人たちの番になる。彼らは台所近くで食事をすることになる。何か、相撲部屋のちゃんこ料理の食べる順番だと思えばいい。もっとも、今の相撲部屋でそんなことをしたら若い力士は直ぐやめてしまう、だから横綱もふんどしかつぎも肉の量は同じだそうだ。

さて、アラブの食事のマナーの続き。主人が皿に盛ってくれるのが「いただきます」の合図だとしたら、「ごちそうさま」の合図はどうするか。まだ皿に料理が残っていても、お腹が一杯になったと思ったら黙ってすっと立ち、洗面所に向かい手を洗い口を漱げば、「ごちそうさま」の合図である。

黙って立つことが失礼だと思い、主人に「腹一杯になりました」と言おうものなら、また皿にたくさん料理を盛られてしまう。

こうして食事がすんだら、勝手に居間に戻り、スイーツ、フルーツを戴き、アラビック・コーヒーを楽しみ、時間が十分あれば水煙草を吸って雑談を楽しむ。他に約束があるなど用事があれば、食事のお礼を言っておいとまを告げることになる。

## 食生活

アラブ人の家に招待され食事の提供を受ける時のマナーについて書いたが、普段、アラブの人たちはどんな食事をしているのだろうか。

同じアラブ人でも食べるものは国によって違う。湾岸諸国の人たちは魚と米が主食だが、レバノン、ヨルダン、パレスチナやエジプトなどは肉が主食だ。中でもレバノンには料理の学校がたくさん存在するくらい、レバノン料理は洗練されていて人気が高い。湾岸産油国は、かつては天然真珠が唯一の産業で、採取した真珠をインドやパキスタンに売って米などを入手していた。アラビア湾では日本人にもなじみ深いアジ、フエフキダイ、スズキ、カマスなどが豊富に採れる。季節によってはカツオやマグロもやってくる。

石油開発業界ではエビが採れるところに石油があるという言い伝えがあるが、アラビア湾も確かにエビが多く採れる。魚介類で一番人気はハムールだ。

ハムールは日本のハタの仲間で、海底に住み何でも食べる大食いの魚だ。ちなみに、この地で「あいつはハムールだ」とは「貪欲な奴だ」ということ。豊富に採れる魚介類だが、日本近海と海水温など生育条件が違うせいか、アラビア湾で採れる魚は身と皮の間に僅かに脂がのっている程度でコスコスとした食感だ。日本人にとっては刺身にしづらく残念だが、現地の人たちは唐揚げにしたり、グリルで塩焼きにして食することが多い。

メインディッシュの魚料理で一番人気はベビー・ハムール。一メートル位になるハムールだが、現地の人たちは三〇～四〇センチ位の大きさがおいしいという。ベビー・ハムールはグリルで塩焼きにして、バターをかけてシンプルに食べるのがご当地流だ。

米を使った典型的な家庭料理にマッチブースがある。ＡＵＨとＱＡの代表的な料理だ。

ハムールなど魚を使うこともあるが、羊肉のマッチブースが最高だ。料理は生きた子羊を市場で買ってきて、イスラムの教えに従って肉をさばく。子羊の中でもまだ母羊のミルクだけで育っているものをミルクフェド・ラムといい最高級だ。生きた羊を料理するのは残酷に思えるが、日本人が魚の活け造りを残酷に思わないのと同じで、単なる文化の違いだ。

イスラム教徒はハラル料理に拘るが、ハラルはイスラムの教義に則り、羊をさばく時に少しでも羊の苦痛を和らげるよう工夫した調理方法でもある。肉はグリルで丸焼きにして、脳も内臓も無駄にしない。

スパイスで味つけしたコメをパエリアのように炊き込み、大皿に移した炊き込みご飯の上に焼きあがった羊肉と肉汁を合わせて、もう一度グリルで温めて出来上がりだ。コメに加えるスパイスは、インド人が毎日食べているカレーで使うものとほぼ同じクミンやコリアンダーなど十種類程度を使うが、ターメリック（ウコン）とチリパウダー（唐辛子粉）は使わない。各家庭によってスパイスの調合が違うという、まさに家庭の味だ。

羊肉は臭みはまったくなく柔らかい。肉汁が染み込んだコメと合わせて、大勢が一斉に食べるとより一層うまく感じる。脳や肝臓は希少価値だ、客にふるまわれることが多い。食後のデザートは、豊富な種類の果物の盛合わせと伝統的スイーツのウム・アリ、訳すとアリという人のお母さん。卵の入っていないパンのプディングで、酒を飲まない中東の人たちが好むスイーツは猛烈な甘さだ。

地中海と内陸部の人たちが好むのはレバノン料理。湾岸諸国の人たちももちろんお気に入りだ。

前菜はメッザという。冷菜と温菜があり、冷菜には、ファトーシュやタブレーとケッベニーヤ等。ファトーシュはサラダ菜、ゴマ菜、レタス、キュウリ等にクルトンと干した赤しそに似た葉をアクセントにかけたサラダ。タブレーはパセリとレモンのみじん切りに酸味の利いたドレッシングをかけたもの。

ケッベニーヤは生羊肉ミンチ、ユッケやタルタルステーキにイメージが近い。魚の刺身に抵抗したアラブの人たちも、羊なら生肉を食べるのである。温菜はケッベという、ラグビーボールのような形に仕上げた羊肉のミンチを揚げたもの、中に松の実が入っている。羊の挽肉が乗った小さなピザのようなアライスなど。羊肉の内臓などをすべて無駄なく利用する様々な前菜があるが、名前と料理が一致しないくらいバリエーションがある。

料理はホブスという酵母を使わずに平たく丸く焼き上げたアラビック・ブレッドに、ホモスとムタバルが必ず付いてくる。ホモスはひよこ豆、ムタバルはナスを、オリーブオイルと混ぜてペーストにしたものだ。

ホブスを手でちぎり、ホモスやムタバルを掬い取り食べる。そして主菜は、エビやハムールなどの魚介類グリルが先に運ばれ、次に肉類のミックスグリルで、羊肉の角切りのシシカバブや捏ね状のコフタ、鶏肉のシシタオック、骨付き羊肉のラムチョップなどだ。よほどの大食漢でも主菜の半ばで腹一杯になるだろう。

最後はターキッシュ・コーヒーかダブル・エスプレッソを飲んで終わり。レバノン料理のフルコースを満喫すると、その後、二日くらいは何も食べる気にならないほど満足感が高い、これは実感である。

産油国民の伝統料理や高級レストランでレバノン料理を食べるのは接待などの特別な機会で、場所も限られる。人口の多数を占める一般のアラブ人が、普段の食事に利用するレバノン料理のレストランは町のあちこちにあって値段も手ごろである。こういう店はフルコース料理は提供していないが例えばラムチョップが有名とか、メニューにかかっている。食べ比べて自分のお気に入りの店を見つけることが楽しみだった。

食事とは言えないかもしれないが、人気の軽食に「シャワルマ」がある。最近、日本でよく見かけるトルコ料理のファーストフード「ドネルケバブ」に近い。

スパイスに漬け込んだ薄切り羊肉を五十センチから一メートル近くまで逆三角形に積み上げる。そして縦置きパネル状ヒーターで、万遍なく回しながらグリルする。肉が焼けたら、縦に削ぎ落として、直径十五センチくらいのホブスの中にトマトやピクルスとひよこ豆のホモスと合わせて挟むと出来上がり。羊肉のミートとチキンの二種類あり、夜しか売っていない。

私が最初に赴任した一九八〇年代はミートが百円チキンが六十五円程度だった。羊肉が不慣れな日本人でも必ずハマる軽食で二本食べると腹一杯になった。

日本人の友人たちは、シャワルマの機械を買って日本で商売したら絶対儲かると言っていたが、トルコ人に先を越されてしまった。あれから四十年、店によって違うが、値段はせいぜい倍になったくらいだ。同じ店では「ファラフェル」も売っている。これはエジプトが起源。ひよこ豆を擂って、一口サイズのコロッケにしたものだ。昔も今も六個で三十円ほどと、物価の高い産油国で信じられないくらいの安さだ。私の好みは、潰したファラフェルとトマトやレタスをホブスに挟み込んだサンドイッチだ。昼から売っていて一つ五十円ほどだ。

安いと言えば、町のあちこちにインド料理店がある。日本人にも人気なのがターリー、数種類のスープカレーがおかわりし放題、どの店もせいぜい一食三百円から五百円。店には一か月定期券がある、インド人が毎日利用している証拠だ。

インド人で思い出したことがある。彼らと話していると、よく「ノー・プロブレム」という。頼んだことができなかった時、修理に失敗して物を壊した時、約束した時間に遅れた時など、様々な場面でこの言葉が出てくる。最初は「心配するな、私が何とかする」という意味かと思ったが「自分にとって問題じゃない」ということがわかってきた。

あなたにとって大問題でも、自分には問題ないと言っているのと同じで、最初はずいぶんと腹が立ったが、インド人と長く付き合っているうちに気にならなくなった。気が長くなったのか、自分も「ノー・プロブレム」と言うようになったからか、結局、問題は自分で対処する以外に解決策はないと悟ったためだろうか。

もう一つ、インド人に関する話。

インド人はイエスと言いながら首を横に振る。日本人は首を横に振るとノーだけれど、インド人にはイエスなのだ。でもよく見ると、日本人のノーは頭を振るが、インド人のイエスは顎を横に振っている、実に紛らわしい。

## 結婚式

湾岸諸国に長く滞在していると結婚式に招待されることも多く、その度に文化の違いを感じた。イスラム教徒は、イスラム教の教えに従い、イスラム教徒としか結婚できない。日本人女性が産油国民と結婚しているケースもあるが、その日本人女性が仏教徒であればイスラム教に改宗して、結婚することになる。

イスラム教徒は、結婚する時に離婚すればいくら支払うか決めておくなど、割り切ったルールがある。その反面、結婚相手は親が決め恋愛結婚はないなど、極めて保守的な面もある。親が決めた結婚相手の人柄や顔立ちがまったくわからないので、息子は母親か姉、妹を通じて結婚相手の情報を仕入れるとのこと。結婚が決まったら新郎側は新婦側に結納金を支払う。家柄によると思うが、その額、なんと、数千万円だそうだ。年々、結納金の額が上がっていて、結納金の高騰が結婚できない理由の一つになっている。

そのため先代国王は、若年の国民に現金や新居を無償でプレゼントして結婚を奨励していた。ようやく結婚に漕ぎつけたとしても、次の頭痛の種は披露宴である。

披露宴は大きなホテルの宴会場を貸し切り、たいていは夜八時ころから始まる。産油国民は昼寝の習慣があり、モスクで一日五回のお祈りがあるので、八時くらいが都合の良いタイミングなのであろう。披露宴開催に多額な費用が掛かるのは何れの国も同じ、だが日本と違うのは新郎と新婦が別々に披露宴を催す必要があるため費用も倍かかることである。

招待状をもらって披露宴に行くと、新郎と新郎の親族が宴会場の前に立っている。彼らと握手して（親密さの度合いで、頬と頬を二回合わせる、より親密だと鼻と鼻を二回合わせる、私は鼻だ）。祝辞を述べる。多くの招待客が来場したら頃合いを見計らい宴会場のドアが開く。

招待客が会場に入ると、十人位が座れる丸テーブルが、大規模ホテルだと百くらい並んでいて、各テーブルには羊の丸焼きや特別な日のごちそうであるラクダ肉のグリル等が盛りつけられている。

テーブルの席順も場所も自由で、好きな場所に座り、目の前のごちそうを黙々と食べ、食べ終わればさっさと帰る。これが湾岸産油国の披露宴スタイル。

新婦の披露宴に出席したことがある女性に聞いたら、新婦の場合もほぼ同様だが歌舞音曲が付いていたと言っていた。

一度、パレスチナ人の結婚披露宴に招待されたことがある。招待状に九時開宴と書いてあったので時間通り行くと誰も来ていない。招待客が集まったのは十一時を過ぎていた。湾岸諸国スタイルと異なり、新郎の横にはウェディングドレスの新婦が揃ってお出まし。酒がふるまわれたが食事はなし、音楽に合わせて招待客が延々と明け方までダンスをする、賑やかな宴会だった。

## 葬儀

結婚披露宴は派手な一方、湾岸諸国の葬儀は意外に簡素である。

イスラム教徒の葬式は、自宅または家の近くの空き地にテントを張って行われる。

イスラム教には「生前に善行を積み、死後に審判を受けて永遠の天国に暮らす」という教えがあり、偶像崇拝を禁じている。天国で暮らすために必要な遺体は速やかに埋められ、偶像崇拝に繋がるとして、墓は作らない。

アラブ人の友人に聞いてみたが、墓はなく共同墓地というか埋葬所の場所なら知っているとの答えだった。葬式は、遺族にお悔やみを言って、部屋の壁に沿って並べられた椅子に座りお茶をいただく。イスラム僧侶がコーラン（アラビア語ではアル＝クルアーン）の一節を読み上げ、節目ごとに参列者は両手を広げる、あたかも手にコーランの本を掲げているように。参列者は余り長居をせず退出する、実にあっさりとした葬儀だ。

遺族は死を悲しむというより、亡くなった人を次の世界に送り出しているように見えた。

## 一夫多妻

イスラム教徒は一夫多妻で、四人まで妻帯できることはよく知られているが、その実態はどうなのか、興味を持つ人もあろう。

元々、アラビア半島では病気や戦争などで男が早死にすることが多くあり、残された妻子は生活に困窮することになった。一夫多妻という制度は、その遺族を妻として迎え入れることで、救済する仕組みだったと言われている。

ハッシ・バーミ社で働くソマリア人社員の兄が交通事故で亡くなった。弟は自分がすでに結婚しているにもかかわらず、兄の奥さんと結婚し、兄の残された子供も自分の子供として育てた。多妻制では、どの奥さんに対しても平等、公平にすることになっているが、最初の奥さんは遺族となった兄嫁と結婚し、家族が増えることに反対しなかったという。大家族制で親族のきずなが強いことが背景にあるのだろうが、この例など、まさに究極の救済策と言える。

しかし合法的な妾という面があるのも否定できない。同僚だったQA人社員はQA人とアメリカ人の二人の奥さんがいた。QA人の奥さんはDOHに住み、アメリカ人の奥さんはAUHに住んでいて、お互い顔を合わせたことはない。

この社員は頻繁に働き場所のAUHと自宅があるDOHを行き来し結婚生活を維持していた。彼に結婚生活を聞いたところ、彼曰く、公平、平等にすることは容易でない。QA人妻のところでアメリカ人妻の悪口を散々言い、次にアメリカ人妻のところでQA人妻の悪口を言う、二枚舌を演じた後は、砂漠に行って一人で過ごすのだと言って笑った。

もちろん、冗談だろうが、生活を維持することは容易でなさそうだ。彼は、往復の飛行機代も馬鹿にならず、二人の奥さんの嫉妬がもとで喧嘩が絶えなくなり、遂ににっちもさっちもいかなくなったようだ。

結局、アメリカ人妻と離婚して、会社も辞めてQAに戻ってしまった。ジャバル氏から聞いた話だが、今でも複数の奥さんを持つ人はいるが、昔に比べて数は減ってきたという。アラブ社会では男が負担する結婚費用が莫大で、若いうちは捻出できない。ゆとりができたので若い娘と結婚したいと思っても、第二夫人を娶るには最初の奥さんの許しがいる。最初の奥さんから了解が得られず結婚に至らないケースが多いのだそうだ。

稀にスーパーマーケットで複数の奥さんと一緒に買い物をしている男の姿を見かけることがあるが、彼はどのようにして生活しているのだろうか。

## 優しい夫

ジャバル氏の奥さんは王族に近い部族の出身で、モハメッド殿下の養女だ。

毎年、夏に義母のモハメッド殿下夫人と欧米に避暑に出かけている。この間は、ジャバル氏は二人のベビーシッターとともに三人娘の世話と留守番をしていた。

私が二〇一六年にロンドンに出張した時、珍しくジャバル氏は奥方と一緒にロンドンに滞在していた。QA国王族のご婦人たちが高級ホテルでアフタヌーンティーを楽しんでいて、ホテルにジャバル氏を訪ねていくと、ご婦人方の夫たちはホテル内の別の場所で、スマホをいじって所在なげに待っていた。

ジャバル氏に「ここにいるのは、どんなメンバーか」と聞くと、内務省次官ほか、政府高官や企業経営者などで社会的地位の高い人たちばかりだと言う。もし仕事でこのような地位の高い人たちに会えば、きっと威圧感や威厳を感じるだろう。だが、目の前の人たちからはまったく威厳を感じなかった。

アラブ社会は男社会だと思い込んでいたので、奥さんに頭が上がらない姿を見て驚いたが、こんな光景は珍しくないことを思い出した。

私は出張先でアラブ人家族と遭遇することがあるが、どの家族も奥さんと子供を大事にしている。空港やホテル、町で見かけた時は常に男は優しく家族の世話を焼いている。欧米発のニュースは、アラブ人女性に顔を覆い隠すよう強要し、所有物の扱いを受けていると、人権問題を提起することがあるが、大きな誤解と偏見を植えつけるニュースだ。実態はとても大切にされている。

彼らが旅行に出かける時、空港までは男も女の人も民族衣装を着ているが、機内で男は洋装に着替えることが多い。着替えると、顔つきがすっかり変わってしまう。最初はなぜだかわからなかったが、気がついたことがある。

民族衣装はディスターシャに頭にガトラという輪っかを乗せている。民族衣装を借り、着用してわかったが、普段通りの動きをするとガトラがずれてしまう。だから頭を極力動かさないような姿勢をとるが、そうすると表情が硬くなってしまい、ともすれば険しい顔つきに見えてしまうのだ。

プライベートのつき合いでは、彼らはガトラを取っているが、ほとんどの人たちは実に柔和な顔つきをしている。アラブ人に対する誤解と偏見は、こんな単純なことの積み重ねかもしれない。お互いを知れば誤解と偏見はなくなる。

ジャバル君が東京のユニーク・オイルとの会議に出席するため訪日した時に、奥方を帯同してきた。彼が会議している間は、ユニーク・オイルの社員の奥さんが通訳兼ガイドをした。奥方の希望で買い物に行ったが、その時生まれて初めて電車に乗ったそうだ。買い物もケタ違いで銀座の一流店を梯子していた。

会議が終わり出張最後の日に、ジャバル氏と奥方が、私を招待してお別れにお茶と軽食を楽しみましょうと連れていかれたのが、銀座のミキモトパールだった。わずかな滞在期間だったのに上得意になっていて、私まで店の人から丁重なもてなしを受けた。一体、どれだけ買い物をしたのだろう、見当もつかないが凄まじい額だったのは間違いない。

奥方の訪日をきっかけに、私がQAに出張する時は、ジャバル氏を通じて奥方から日本のお菓子や果物の注文を受け、持参するようになった。

ある時、千疋屋の完熟マンゴーを一〇個買ってきてほしいと頼まれた。一個が二万円近い高級品だ、ていねいに箱詰めしてもらい、傷まぬよう機内に持ち込んで、やっとの思いで届けた。完熟マンゴーの感想が気になってジャバル氏を通じて聞いてみた。すると「とてもおいしいマンゴーだった、でもマンゴーに変わりないわね」という、苦労して育てた人ががっかりする返事が返ってきた。

## ラマダン

私が湾岸産油国と関わりを持って二十五年ほど経った頃、アラブ人の友人は増えたものの、どうしても超えられない壁を感じていた。

それはイスラム教だ。

私は正月に初詣に行き、彼岸やお盆にお寺参りする普通の日本人だ、信仰心は薄い。でもイスラム教には興味が沸いた。イスラム教はアラブの人たちの生活に密着している宗教だ、教義を知らなければ本当のアラブ文化は理解できないことがわかったからだ。

私は、まずコーランの日本語訳を読んでみた。だが、信仰心の薄い私には難解すぎる。それでは、と思い立ったのがラマダン月に彼らと一緒に断食してみることだった。

断食はイスラム教徒に義務付けられている五行の一つ。一日五回行われるお祈りで、夜明け前のお祈りから日没までの日中は一切の喫食を絶つというもの。

ラマダン月はイスラム歴の九月で、太陰暦だから毎年二週間ずつ繰り上がっていく。私が初めてＡＵＨに行った時は六月がラマダン月だったが、断食を試そうとした時は十月だった。

断食する時間も真夏より短いし、仕事が忙しくて昼飯を食いっぱぐれることもある、気温も水を飲まずに過ごせそうだ。大丈夫だろうと覚悟を決めて周囲のアラブ人の友人に断食することを宣言した。

始めてみると、初日は夕方に耐えがたい空腹感を感じたが、水分補給は平気そうだと思った。

断食後の最初の食事を「イフタール」というが、イスラム教徒は多くの人が集まってビュッフェスタイルの食事を楽しむ。胃を気遣って、最初はスープをゆっくり時間をかけて飲み、人心地ついたら猛烈な勢いで食べ始める。

私は単身寮暮らしだったので、普段通りの食事をゆっくり時間をかけて食べた。思ったより簡単にできた、というのが初日の感想だった。だが、二日目と三日目は空腹やのどの渇きより頭痛に悩まされた。

アラブ人の友人に聞いても同じだという。コーヒーなど嗜好品の禁断症状に悩まされるのだ。四日目からは禁断症状も消え、体も慣れてくる。断食を始める前と同じ運動をしても平気になってきた。

こうして三十日の断食を終えた。体重は五キロ近く落ちたが、他には影響がなさそうだ。断食を終えて三日で体重は戻ってしまった。

アラブ人の友人たちは、イスラム教徒でもない私が断食したことに驚き歓迎してくれた。私が身をもってイスラム教に敬意を示したことを評価してくれたのだと思う。断食の効果はアラブ人の友人たちと一体感を感じたことだ、得難い経験となった。

## ドバイ

今、最も有名な中東の場所を聞けば、ドバイと答える人が多いのではないだろうか。

ドバイは私が住んでいたAUH市からは約百八十キロ、一九八〇年代は中央分離帯のある片側二車線のハイウェイで繋がり、途中の信号や交差点、カーブの手前にハンプスがあった。ハンプは車の速度を緩めるため道路に盛り上げたコブだが、気づかず乗り越えると車の天井に頭をぶつけてしまう、結構、油断のならない代物だった。

ハイウェイの周囲は土漠だが、当時は道路は土漠との仕切りがなく、土漠からラクダやヤギが道に出てきた。ラクダにぶつかると大きな胴体が車の天井に落ちてくるという。死亡率が極めて高く、ラクダの持ち主にも弁償が必要だと言われていたので、緊張して運転していた。

今ではハンプスもなくなり、土漠とハイウェイはフェンスで区切られ、ラクダが道に出てくることはなくなった。周囲に何もない道を走ること一時間十分、ジュベル・アリを通過する。ジュベル・アリは一九八〇年代半ばころより整備を進めてきたフリーポートで、商取引にスポンサーは不要なので、多くの企業が拠点を置くドバイ発展の基礎を築いた場所だ。

さらに二十五分走ると、ワールド・トレード・センタービルが見えてくる、八〇年代当時はドバイ唯一のランドマークで他に高層ビルはなかった。今では林立する高層ビルに埋没し見えなくなってしまった。ドバイの油田はほぼ枯渇している。生活の糧をジュベル・アリのフリーゾーンに移し、最近は湾岸諸国が得た石油収入の投資先となっている。

世界一高いビル、ブルジュ・カリファやドバイ・モールなど商業施設に世界中から多くの人が集まっているが、個人的には虚業だと思っている。

## オマーン

オマーンに行く時は、AUH国王族のルーツであるアラインから行くことが多かった。アラインもAUH市から百八十キロくらい。道の整備が進んでいない一九六〇年代は命がけの旅だったが、一九八〇年代に整備が進み、二時間程度で行くことができた。

アラインは内陸部で乾燥しており、砂漠は鉄分が多く赤色だ。昔から水に恵まれており、ブライミ・オアシスが繁栄の基礎となった。

オアシスと聞けば、砂漠に小さな泉と数本のヤシの木というイメージかもしれないが、実際のオアシスは池や湖ではなく、汲み上げた地下水を日本の田んぼの灌漑用水のような水路とヤシ畑になっている。時間毎にヤシ畑に配分する水路には小魚やカエルもいたが、どこから来たのだろうか不思議だった。

アラインからオマーンの首都マスカットまで三時間半から四時間程度。海岸線を通る道と内陸部を通る道がある。海岸線ルートは幹線道路で良く整備されていて、途中、山間部に分け入る道がある。乗用車では無理で、四輪駆動の車で登っていくと、小さな部落があり定住者がいて、鉄砲で鳥撃ち猟をして、ヤギの飼育で暮らしている。

オマーンの山は木が生えておらず、最高部は三千メートルに達する山脈が連なっている。川はあるがワジという涸れ川だ、雨は年に数度だが、降れば洪水となって大きな岩石を上流から運んでくる。オマーンの地下には豊かな水脈があり、広くアラビア半島に広がっているという。内陸部ルートでは、途中に温泉が湧き足湯ができる場所がある。ワリという昔の領主の住居跡があり、室内を見学できる。

オマーンも産油国だが、産出量は他の湾岸産油国と比べて少なく、自ら働くことを厭わない人たちだ。ドバイが人工的な印象に対し、オマーンは千夜一夜物語のシンドバッドの時代から続く古い町並みで、落ち着きを感じさせてくれた。

## 対決

話をハッシ・バーミ社に戻す。

私は、国内、国外勤務を繰り返し、二〇〇六年に三度目の勤務となったが、この頃から、それまで良好な関係を続けてきたセーラム部長とギクシャクし始めた。

前回の勤務から六年間経過していたが、この間にセーラム部長は変化してしまったのだ。

当時、株式市場が新たに形成され、株取引はＡＥ連邦国民に限定されていたが、油価高騰に連動して好景気に沸く地場産業のお陰で、株式の売買で大きな利益を上げる国民が輩出していた。アラブ人社員は売買資格がないが、見逃すはずはない、国民社員の名義を借りて株式市場に参入した。

このことで株取引を行える国民社員が、一般のアラブ人社員たちから祭り上げられ、個室になっているセーラム部長の執務室が株取引仲間の溜まり場となったのだ。その結果、社内は株取引をする国民社員とアラブ人社員グループ、株取引に無縁な日本人と株取引をしない社員グループの二つに分断されてしまった。

セーラム部長は一九八五年に入社して、すでに勤続二十年を超えていたが、日本人社員は平均して三年、四年で交代する。新しく赴任してきた日本人社員は、過去の出来事や経緯などの知識で、セーラム部長にまったく太刀打ちできなくなっていた。彼はいつの間にか、自分中心の世界を作り出していたのだ。そして自分の利益にも繋がると考えた一部のアラブ人社員達はセーラム部長を担ぎ上げて、一大勢力となっていた。

そんな時に私が戻ってきた、セーラム部長にとって複雑な心境だったろう、自分を導き友情を築いた私との関係も大事だが、彼には彼の立場がある。ほかの国民社員やアラブ人社員から自分は支持されている。この立場は守らなければいけない。私との関係より大事だ。多分、こういうことだったのだろう。私はうかつにも、そのことに気がつかなかった。

だが、ことごとく意見がぶつかり、二人の間に亀裂が入った。セーラム部長との関係は修復不能となり、私が長年かけて築いたと思っていた「ハッシ・バーミ社の文化創出」は単なる思い込みだと思い知らされた。

株取引は就業時間中に行われる。株取引に関わる社員たちは、毎日決まった時間になるとセーラム部長の部屋に集まり、仕事そっちのけで株相場の話に没頭していた。私は「仕事中に株取引するな」とストレートに忠告したが、株取引に関わる社員は私を無視した。部下も私の言うことを聞かない。これはショックなことだった。

私は頭を抱えた。国内勤務していた六年間で、ここまで人間関係は変わってしまうのか、と自信を失った。このような状況の中でも関係が変わらなかったのはジャバル氏だった。彼自身が金に不自由していないこともあるが、浮利を追う人たちを軽蔑し、一線を画していた。この時初めて気がついたが、彼はとても正義感が強かったのだ。

彼もセーラム部長や株取引仲間は職務違反をしていると、批判的だった。彼も、私と同じように株取引グループとはギクシャクした関係になっていった。

そんなある日、私はハッシ・バーミ社取締役で、QA国営石油会社の操業部門長モハディ氏に呼ばれた。モハディ氏は誰から情報を仕入れたのか、状況をよく理解していた。彼は私にこう言った。「ターゲット・ナンバー・ワンはセーラムだ、辞めさせる、手伝え」

操業部門トップは、労務に長けている、モハディ氏は私にこう続けた。

「どの国でも、どの組織でも、権限のあるポジションに長くいれば間違いが起きる。セーラムは入社の経緯はともあれハッシ・バーミ社の社員だ。だから、ハッシ・バーミ社のマネジメントが自律的に改善を図れば、私は口をはさむつもりはなかったが、どうも自浄装置は働かず、彼を野放しにしてしまった。私はQAを代表するハッシ・バーミ社取締役として、QA人の不始末を見過ごすわけにいかない。彼をQA国営石油会社に引き取り、その上で早期退職にするつもりだ。彼が円滑にＱＡ国営石油会社に転籍できるよう手伝ってほしい」

私はセーラム部長と築いてきた関係を説明して、他の方策はないのかと聞いてみたが、モハディ氏は熟慮の結果だと取り合わなかった。これ以上、私もモハディ氏に抗弁できなかった。抗弁しても無駄なこと、ＱＡではごく普通に行われる自浄方法なのだと理解し、手伝いを約束した。

私は週に二度、三度とＱＡ国営石油会社に出張して手続きを確認した。人事担当局長はシェイク・ハマッドからシェイク・アブドラに代わっていた。二人は従弟同士で国王家に繋がる人たちだ。シェイク・アブドラは、モハディさんからこの件は聞いている、自分が受け入れに責任を持つと言った。これでモハディ氏個人の考えではなく、組織で決めたことだと確認できた。

後戻りできない。すべての根回しと手続きの確認が終わったあとで、私は長い間一緒に働いたセーラム部長にＱＡ国営石油会社への転籍を伝えた。泣いて馬謖を斬る心境だった。

セーラム部長は「自分はＱＡ人だ、ＱＡ国営石油会社は自分を評価して総務部長に昇進させた。モハディさんも私が総務部長を続けることを支持しているはずだ。日本人の君が何と言おうとも、私は転籍しない」と抵抗した。

私は大変つらく悲しい思いだったが「この提案を受け入れることが君にとってベストだよ。拒絶すれば、ＱＡ国営石油会社は君を支持しないと聞いている」と伝えた。私の言葉で、すでに私とＱＡがセーラム部長の扱いと手続きについて話し合っていたことを悟ったのであろう、セーラム部長はもはや抵抗することなく、後は事務的に手続きが進んでいった。
ムタワ氏を排除してそのポストに就いたセーラム氏と同じように、セーラム部長の後任には
ジャバル氏が就いた。これが中東の文化だ。

## カショギ事件

モハディ氏は私と同世代、労務に長けたといえば老獪な印象かもしれないが、実像は気さくな人柄だった。

ジャバル氏から、モハディ氏の一族は国王家の有力な支持者だということを聞いた。従弟同士のシェイク・ハマッドとシェイク・アブドラは、ジャバル氏と同世代。セーラム氏がQA国営石油会社を早期退職した後、慰労会が開かれた。

シェイク・ハマッドの家に招待されたが、その場にモハディ氏、シェイク・アブドラ、そしてジャバル氏がいた。この時、ようやくわかった。彼らは頻繁に集まって情報交換をしていたのだ。突飛な例えとは思うが「村の青年団の集まり」のように。

戦前の日本は村社会だった。農家の長男は家を継ぎ、次男以下は役所、学校、町の会社で勤め人になる。会社でいくら偉くなっても、村に戻れば、家では長男にはかなわない。その家も村の中では序列が決まっている。めいめいの仕事が終わると、村の若者たちは公民館に集まって話をする「村の青年団の集まり」だ。彼らの行動は、これとまったく同じ構図ではないか。

さらに言えば、ジャバル氏はパレスで王族と一緒に暮らしていたが、日本の戦国時代の近習と同じではないか。幼い頃から切磋琢磨し大学も一緒に留学する。そして卒業後は王族に忠実に仕える。近年の首長交代はＡＵＨもＱＡも世襲になったが、先代までの交代はクーデターが当たり前だった。

私はこの瞬間、湾岸諸国の文化がわかったような気がした。文化と文明、湾岸産油国は裕福だ。最新の文明の利器がいち早く流通する。私が見たところ、日本より遥かに早く行き渡る。だが文化は、日本の戦国時代から日本の第二次世界大戦前の間のどこかにあるように思える。そう考えれば湾岸諸国で起きる出来事も理解できる。

昨年、トルコ大使館の中でジャマル・カショギさんという、サウジアラビア人のジャーナリストが殺害される事件が起きた。サウジアラビア皇太子の関与が疑われている。多くの日本人は残虐な事件だと思ったであろうが、それ以上の興味は沸かなかったのではないだろうか。

中東は日本から遠く、身近にアラブ人はいないので、当然だと思う。だから、欧米から発信された報道をそのまま受け入れてしまう。アメリカは、サウジアラビアに武器を大量に輸出している。したがって、皇太子を糾弾するより関係を維持して武器輸出を続けたい。

その一方で、アメリカのメディアはイスラエルに寛大だ、メディアにはユダヤ系の人が多く影響力があるからと言われている。イスラエルとサウジアラビアはかつて宗教で反目していたが、今は反イランで一致したので、サウジアラビアを追い詰めるような報道はあまり見かけない。この事件を非難しているのは反アメリカ、反サウジアラビアの国々だ。自国の利益によって報道のスタンスが変わるのは当たり前のことかもしれない。

だとすれば、どちら側の報道を信じればよいのだろう。

では、日本人の目でこの事件を考察してみよう。

湾岸諸国の文化が日本の戦国時代から戦前までの間という私説でみると、幕末に薩摩藩主の島津久光が藩内の尊皇派を始末した寺田屋騒動と同じ構図だと気がつく。当時の常識では藩士が藩主に逆らうなど、考えられなかったはずだ。藩は独立国だ、藩内で起きたならば歴史に大きく残らなかったのではないか、藩外だから寺田屋騒動として歴史に刻まれることになった。騒動によって、藩主は誰からも罰せられなかった。今から百五十年前の出来事だ。

サウジアラビア王族の肩を持とうとして事例を挙げたのではない。だが、起きた出来事は、実に寺田屋騒動と構図が似ている。カショギさんが反体制的なジャーナリストで、それに立腹した王族が成敗したといわれているが、封建制度の下で藩主の命令に逆らった家臣を手打ちにしたのと同じではないか。

サウジアラビア国内でなく、トルコ大使館で起きたことも寺田屋騒動そのものだ。そもそもカショギさんの叔父は武器商人だった。元々はカショギ家は体制派のはずだ、さもなければ武器は扱えない。ジャマル・カショギさんは、カショギ家の異端児で、彼だけが反体制なのだろうか。部族社会の常識は、異端児が出てきた時は部族内で処理する、他の部族には迷惑をかけない。王族が殺害に関係したかもしれないというのはよほどのことだ。

私が疑問に感じたのはカショギ家と王族の関係だ。だが、どの報道にも私の疑問の答えは見つからなかった。今でも湾岸諸国では、国王が臣下の国民の生殺与奪権を握っている、この事件はサウジアラビアが絶対王政の国だと世界中に宣伝したようなものだ。体制の是非に触れる必要はないが、願わくば我が国が、このような事件を起こすことは現代では許されないことだと王族に直接忠告すべきだろう。

アメリカと異なるスタンスを取ることはむずかしいことだと思うけれど。チュニジアから始まった「アラブの春」はリビア、エジプトと北アフリカの国々に伝播し旧体制は転覆した。アラビア半島ではシリアの内戦に発展し、未だ出口が見えないものの、湾岸産油国は現体制が変わらず続いている。

なぜなら国民の所得を倍増させて、国王支持、現体制維持に国民の心を繋ぎとめているからだ。絶対王政の是非に触れる必要がないと思うのは、国民が満足しているのに他人がとやかく言う必要がないこともあるが、現体制が万一覆ると、湾岸産油国内のバランスが崩れ、資源を巡る大混乱や大紛争が起きることが必須と考えられるからだ。

## 王族

話が拡散してしまった。

長年の友人だったセーラム氏は、QA国営石油会社に転籍後、一度も出社することなく早期退職したが、恵まれたことに、退職時の給料と同額が年金として一生保証される。彼は退職前に餞別代りに嵩上げした給料、日本円にして月額百二十万円を受け取ることになった。

できる限りのことをしたつもりであったが、残念ながら、それ以降、彼とは疎遠になってしまった。

ビジネスに関する話を続けると、湾岸諸国では会社の人事や会社の意思決定等の重要事項が、社内の関係を超えた人たちの話し合いによって決められていることに、私は興味を持った。私は「会社の方針を決める人たち」と何時でもコミュニケーションができる、仕事を超えた関係や、人脈を築きたいと思った。

だが私はアラビア語が話せない。彼らの言葉で会話できなければ無理だと諦めていた私に道筋をつけてくれたのが、ジャバル氏だった。

ある日ジャバル氏は、シェイク・スルタンという人の事務所を兼ねたセカンド・ハウスに私を連れて行った。そのセカンド・ハウスはQA国営石油本社があるコーニッシュ通りウエスト・ベイ地区で、高層ビル群が切れた一角にあった。周囲を塀で囲まれている、日本の野球場ほどの広大な敷地の中は、鬱蒼とした樹木で覆われていた。

DOH市はAUH市に比べて緑地が少なく町の中も土漠が広がっている。だがセカンド・ハウスは別世界だった。セキュリティ・ガードがいるゲートをジャバル氏は顔パスで通り抜けた。

シェイク・スルタンはシェイク・モハメッド殿下が所有する企業群の経営責任者だった。モハメッド殿下は先代国王の時代に副首相だったが、いまは政治と行政から離れた立場だという。権力が国王に集中する王制国家では、兄弟だからこそ政治に関わらないことが国の安定につながるのであろう。

モハメッド殿下はビジネスに傾注していて、QAでも幅広く事業を行っているが、ロンドンなど海外にも多額の資産を持っているという。モハメッド殿下は海外で過ごす期間が長く、自分が所有する企業群は親戚関係にあるシェイク・スルタンが、番頭のような役割で面倒をみている。

ちなみに、シェイク・スルタンの事務担当者はアブラハム・ペインタ氏という。彼はハッシ・バーミ社を早期退職させられたムタワ氏、帰化弁護士兄弟の甥だ。彼はハッシ・バーミ社経理部にいたが、国民社員のヨシフ・コーリッド部長とそりが合わず、喧嘩して二〇〇八年に退職した。そして、イラク人を難民と認定するカナダに移住したが、イラク人というだけで警戒され、まともな仕事は見つからなかった。

その苦労をジャバル氏が見かねて、シェイク・スルタンの事務所を働き口として紹介したのだ。私も出張でQAに行った時にペインタ氏に会う機会があるが、今は家族とともに幸せに暮らしている。今まで紹介した登場人物が何度も出てくるので、私の狭い交際範囲を針小棒大に書き連ねていると思われるかもしれない。だが、実際に極めて狭い社会なのだ、多分、地方都市に住まわれている方ならご理解いただけるのではないかと思う。

セカンド・ハウスは大広間がある、そこに多くの人が集まり雑談していた。ジャバル氏に「どういう人たちなのか」と聞くと、仕事の関係で打ち合わせに訪れた人たちが自分の順番が来るのを待っている、その他にもシェイク・スルタンの親族がこの部屋でくつろいでいると説明してくれた。ジャバル氏は私を大広間にいた客に紹介してくれた。最初は緊張感を覚えたが、私を客人として敬意をもって接してくれたので、徐々にリラックスできた。

改めて大広間にいるシェイク・スルタンの親族を観察し、雑談すると、私がこれまで付き合ってきた人たちと何ら変わりがない。王族と言っても特別な人たちでないことは、驚きであり、親近感を感じるきっかけとなった。

その後もジャバル氏は、特段の用もないのに、私をセカンド・ハウスに連れて行ってくれた。大広間でお茶を飲み、シェイク・スルタン本人や一族の人たちと雑談をして時間を過ごした。食事をごちそうになることもあった。大広間にいる人全員が食堂に集まり、大皿に盛られた数種類の魚料理とやはり大皿で出てくるご飯を好きなだけ取って、サラダとともにいただく。

私の前にはスプーンとフォークがあったが、他の人たちは手づかみで食べている。昔の食習慣が残っている、それを自然にできることに敬意を覚えた。

ジャバル氏は、私がシェイク・スルタンに受け入れられると確信していたのだろう、私も徐々に慣れて気安く話ができるようになった。すると、私の身の回りに変化が起きた。ＱＡ国営石油会社の国民社員はもちろんＡＵＨ国営石油会社の国民社員まで、私に対する態度が明らかに変わったのだ。

いつの間にか現地の人たちは、私がジャバル氏とシェイク・スルタンの事務所に出入りしているのを知るようになった。すると現地の人たちは、王家に繋がりができた私を粗略に扱うわけにいかないと思い始めたようだ。シェイク・ハマッドとシェイク・アブドラ、モハディ氏とも関係が変わっていった。

産油国の国営石油会社が監督下する民間会社のしがない外国人社員だった私が、特別な存在と認識されるようになり、産油国の王族に近い人との人脈が築かれることになった。

こんなこともあった。モハディ氏から電話があった。息子さんの病気に関する相談だった、日本で診察と治療を受けさせたいという。

私は日本で受け入れ可能な病院を調べ、ＱＡ国日本大使館にモハディ氏の訪日ビザ取得の相談をした。すると大使館はビザを即日で発給してくれるという。ＱＡ国営石油会社の局長ポストは、日本の要人に該当するという理由だった。

結局、息子さんの症状は治まり、訪日しなかったが、モハディ氏から感謝されたことは言うまでもない。

## チンピラ

ジャバル氏から他にも教わったことがある。

国営石油会社は国民社員が年々増えており、二〇一七年頃には、一部の国営石油会社では六割程度に達していた。組織トップから部長、セクションのリーダーまで国民社員がポストを占めている。四割の社員は雇われ外国人だが、雇われ外人は若い国民社員の補佐役、教育係として、セクション・リーダーの部下となっている。

ハッシ・バーミ社の技術諮問委員会に、この雇われ外人が出席する。

上司から良い評価を得たい、結果として自分の雇用が安定すると考え、国営石油会社の威を借りて、技術諮問委員会では高圧的な態度を取ったり、会社に難癖をつけるようなことがあった。当時、私は産油国との調整役の仕事をしていたが、雇われ外人の態度には閉口していた。

ジャバル氏と雑談でこの愚痴を言うと、彼は一言「チンピラとは付き合うな」と言った。ジャバル氏は「昔はともあれ、今の国営石油会社は国民社員が意思決定している。雇われ外人は自分の言うことをハッシ・バーミ社に聞かせようと、あたかも権限移譲されたように装っているが、実際には権限はない。雇われ外人と議論すれば、彼らの土俵に立つことになる。それは議論のための議論のようなもので、時間の無駄だ」と続けた。

私は「雇われ外人が技術諮問委員会や個別案件の担当窓口となっている。彼らを無視すると話がまとまらないと思うが、どうすれば良いと思うか」とジャバル氏に聞くと、「上司に当たる国民社員と仕事の進め方や期限などの大枠を決めてしまえば、雇われ外人は方針に従わざるを得ないので、話はすぐまとまるはずだ」と答えた。それはわかっていたことだ、上司の国民社員と阿吽の呼吸で話ができないから困っているのだ。

しかし、思い直した。私がこの国に関わってすでに二十五年の歳月が経っている。三年から四年で交代する日本人社員が、国民社員と胸襟を開いて話ができないというのならわかる。でも二十五年選手の私ができないと言えば、自分の経歴は何だったというのか。ジャバル氏とのやり取りで、私の仕事の仕方も変わっていった。

それまでは、会社が独自に計画を策定して、技術諮問委員会で両国営石油会社の委員たちに費用対効果や予算を説明して、承認を求めていた。それを、計画の策定前に両国営石油会社に事前説明して、決定権限を持つ国民社員と意見調整することに改めた。このひと手間で計画が承認されるプロセスがスムーズになった。

もはや、雇われ外人が引っ掻き回す余地はない。ジャバル氏の助言通り「チンピラは相手にするな」だ。

## 招致

三十五年以上もこの国に関わり、会社にも貢献したという自負はあるが、私はこの国の人たちにどんなお返しをしただろうか。

考えてみれば、国民社員を始めこの国の人たちの世話になりっぱなしだ。何かお返しできることはないだろうか。

ジャバル氏に私の思いを話したら「ふーん、そんなことを考えていたのか。この国は医療機関が少ないんだ、君の友人に病院経営している男がいただろう。この国に病院を作る気がないか聞いてみてくれないか」という。

話題になった病院経営をしているインド人のシャティ氏は、一九七〇年代初めに、二十ドルだけ持ってインドからAUH市にやってきた。彼はニベアの代理店契約を持っていて、彼の奥さんは医師だった。

彼は苦労を重ね少しずつお金を貯め、一九八〇年頃に個人病院を開業した。私が初めてシャティ氏に会ったのは一九八三年。ハッシ・バーミ社の洋上施設が完成し、操業を開始するにあたり、ファースト・エイド・スタッフ兼通信担当、倉庫番や補助職が必要だったので、派遣元候補としてシャティ氏に目をつけ交渉した。

シャティ氏は余剰人員を抱えていないと言って、人材派遣には興味を示さなかったが、シャティ氏の病院をハッシ・バーミ社の指定病院に認定すると、交換条件を提示したら、渋々引き受けてくれた。

ところが実際に人材派遣してみると、確実に利益が出る仕事と気がついたようだ。これをきっかけに国営石油会社にも派遣先を広げ、人材補強のために自分の故郷から一族郎党を呼び寄せた。人材派遣で得た利益は業務拡大に向けられた。

病院の入院患者には食事の提供が必要だ。病院の隣にレストランを開業して大繁盛となった。現在、ＡＥ連邦にはインド人が八百万人近く住んでいる。彼らが稼いだ金は本国のインドに送金することに目をつけ、両替と送金手続きを行う会社を起業した。最近、英国の大きな両替会社を買収して、英国で上場企業になった。

本業ではＡＥ連邦内に総合病院を幾つも建て、製薬工場も作り薬を自給するに至った。今では日本の製薬会社と合弁企業を作っている。人口八百万人を誇るＡＥ連邦のインド人社会で、彼はトップスリーの一人と言われる立場を手に入れた。

そんな彼は、今でもハッシ・バーミ社と人材派遣契約を締結した恩を忘れていない。私は会いたい時に会うというシャティ氏との関係が続いていた。

シャティ氏には私の娘と同じ年の娘がいる。彼の娘が出身地のインドで結婚式を挙げることになり、彼から招待状を貰った。その話を家族にしたところ娘が大変興味を持ち、単身赴任中だった私は日本から来た娘とインドのバンガロールで合流して、結婚式に参列した。

結婚式は一週間にわたり場所を変えて延々と続けられる。私は娘と彼の家で行われた披露宴とマハラジャの屋敷跡を借り切って行われた結婚式に参列した。

ジャバル氏の話を受けて、シャティ氏に「ＱＡで病院を開業する気はないか」と聞いてみた。彼は「ＱＡにはすでに両替会社が進出済みだが、病院はまだだ。有力スポンサーがいれば、大いに興味がある」という。ジャバル氏にシャティ氏の言葉を伝え「モハメッド殿下がスポンサーになっていただければ話が進展する、シェイク・スルタンに聞いてもらえないか」と伝えた。シェイク・スルタンは「まずシャティ氏と会ってみよう」と言った。

そこで私が会合の設営をすることになったが、シェイク・スルタンもシャティ氏も極めて多忙な人たちだ。何度か仕切り直しがあったが、ようやく会合が実現した。だが、実際に会ってみると、事業に対する二人のイメージが違っていたようだ。

残念ながら病院進出は実現しなかった。

私は、シェイク・スルタンとシャティ氏に申しわけない気持ちになったが、ジャバル氏は実現できなかったことは失敗ではない、いつこのような話が舞い込むかもしれない、その時にまたベストを尽くせばよいだけのことと慰めてくれた。

簡単に恩返しはできなかったが、このことで人間関係が壊れることはなかった。

三度の駐在勤務によって、両産油国の国営石油会社で決定権限を持つ国民社員と信頼し合える関係が構築できた。

QA国の王族に繋がるシェイク・スルタンを始め、多くの人たちと交流する機会があった。AUHでは国民はもちろん、インド人社会で立志伝のシャティ氏とも友人関係を築いた。ハッシ・バーミ油田での仕事を通して私は成長し、家族を養うことができた。

ハッシ・バーミ油田に対し、強い思い入れがある。

その気持ちを胸に、私は三度目の赴任を終え二〇一〇年一月に国内勤務に復帰した。ハッシ・バーミ油田の利権契約は二〇一八年三月八日に期限が到来するが、失効するまで未だ八年もある。会社としては、利権契約を更新することは当然だと思っていたが、具体的にどのように産油国と交渉するか、まったくイメージがわかなかった。私は二〇一六年に定年となる。利権契約が失効する一年半前だ。

利権契約の更新交渉は、株主会社から産油国とのネゴシエーターとして誰かユニークオイルに出向して来るのだろうと思っていた。

ところが、その交渉を私が担当することになった。最後の「お勤め」である。

夢にも思っていなかったが、私以上に相応しい者はいないだろうという強い「自負」もあった。利権契約の更新に向けた交渉の担当となったその日から、私は「繋ぐ」ことを意識して、全力を尽くすことになる。

アラビア湾の「架橋」になるために、もう一度、私は勇躍、産油国に向かったのであった。

# 第五章
# アラビア湾の朝日

## あと七日

焦る。

しかし、願った通りには、進展しない。ジリジリする思いとは、まさにこのことかもしれない。アラビア湾、ＡＥ連邦とＱＡ両国の国境を跨ぐハッシ・バーミ油田の利権契約は、期限満了まであと一週間に迫った。

何としても、利権契約を更新しなくてはならない。

だが、厄介なことにＡＥ連邦とＱＡは国交断絶中である。そんな状況にもかかわらず、私と交渉チームは、わが社、ユニーク・オイルを代表して、ＡＵＨ国営石油とＱＡ国営石油の両社を相手に契約更新の交渉を進めていた。

しかし、ＱＡ国営石油側の頑なな対応もあって、交渉の先行きはまだ見通せない。

二〇一八年三月八日が、その期限であった。

契約期限満了の七日前の三月一日木曜日、午前九時四十五分、私は、ＱＡ国の首都ＤＯＨ市のメインストリート、コーニッシュ通りのウエストベイ地区にあるＱＡ国営石油本社ビルの受付で、入館手続きを行っていた。

いよいよ、この日、ＡＵＨ側とＱＡ側それぞれの選任弁護士と、わが社による三者会議がまもなく実現する。契約が失効するまで、わずか一週間という日になってようやく三者が顔を合わせるなど、極めて異例なことである。

だが、国交を断絶して以後、直接対話ができなくなったＡＵＨ国営石油会社の要請を受けて懸命にＱＡ国営石油との橋渡しに努力を重ねた結果、双方の選任弁護士による間接対話が可能となった。

選任弁護士を通じた両国営石油会社の協議を経て、ようやく利権契約当事者である三者が一堂に会することができた。

わずかな時間しか残されていないが、わが社はこの貴重な機会を捉え、一気に契約の更新に突き進むしかなかった。

三社会議は十時三十分から開始する予定であった。だが、私が会議の開始時間より早く来た理由は、会議を開始する前にＱＡの技術担当リーダー、ハミッド氏を訪ねて「今日の会議で、わが社を支援してほしい」とお願いするつもりだったからである。

ハミッド氏には十時に訪問すると約束をしていたが、社内会議が続いているとのことで、本社ビル二十八階にあるハミッド氏の執務室近くの会議室で待たされた。

しかし、十時二十分を過ぎてもハミッド氏は現れない。会議開始まであと十分もない。彼には前もって電話で、私の訪問主旨を伝えてあるのに、なぜこの三者会議の当日という大事なタイミングなのに現れないのだろう。会議と言うことは、ひょっとして何か契約更新に関して不測の事態でも起きたのではないか、と不安になった。待たされた会議室の中で、落ち着かない。「虫の知らせ」という、嫌な言葉が浮かんでは、消えた。

これまでの交渉経緯を振り返ってみる。

ＡＵＨ国営石油からは、今回の契約更新に関する条件がすでに提示され、わが社もその内容を検討し、合意すると伝えているので問題はない。しかし、ＱＡ国営石油からＡＵＨ国営石油と契約の条件を合意してから提示すると伝えられていた。

今日の三者会議は、両国営石油会社が合意したことを受け、開催されることになった。合意済みならＱＡ側も提示できるはずだが契約条件はいまだ開示されていない。その理由すら不明だ。

私と親しく、わが社にも理解があるハミッド氏は、ＱＡ側技術部門のキーパーソンだが契約条件に関しては権限がなく、ＱＡ国営石油の経済担当チームにすべて委ねられていた。従ってハミッド氏に聞いても、情報は漏れてこない。

しかも、経済担当チームは、異常ともいえるほど秘密保持も徹底していた。いろいろな策を弄したが、まったく隙を見せない。事実、経済担当チームの部屋は、特別な許可がなければ、例え、ＱＡ国営石油の社員であっても入室できないというほど、その厳しさは徹底していた。

ハミッド氏が約束した時間に来られないということは、経済担当チームから、何か問題を提起されたのだろうか。

もし、すぐに解決できない問題が発生し、そのため契約が失効すると、これまで川の流れのように留まることなく数十年間に亘ってハッシ・バーミ油田で採油され、タンカーで日本に運ばれてきた原油が一瞬にして、止まってしまう。すると必然的に、そのために創立されたユニーク・オイルというわが社の存在自体が、危うくなるということであった。

（会議開始まで十分を切った、一体、何が起きているんだ！）

三者会議前の緊張と重圧で、私の心は、いまにも押しつぶされそうになっていた。その時、突然、ハミッド氏が現れた。私は、思わず立ち上がった。

「ナカムラ、遅れて申しわけなかった。ハッシ・バーミ油田の利権契約に関する社内会議をしていた。でも、ユニーク・オイルには関係のない事案だから安心してくれ。三者会議の場所は四十一階だったな、二十八階から四十一階に行くにはエレベーターを乗り換えなくてはいけない、もう時間がない。さあ行こう」

「ハミッドさん、我々に関係ない契約事案とはＱＡとＡＵＨで取り決めるハッシ・バーミ油田の随伴ガスのことだね。我々はその話に首を突っ込むつもりはない。ハミッドさんには、今日の会議で技術案件が話題になった時、我々の味方をしてくれることを期待している。よろしくお願いします」

ハミッド氏は、わかっているとばかりに、私の肩をポンと叩き、ＱＡ国営石油本社ビル四十一階会議室に急ぎ足で向かった。

私たちも後を追った。エレベーターを降りると、手書きで「三者会議は４１１５会議室」との表示が目に入った。入室するとすでにＱＡ側とＡＵＨ側の参加者は席に着いており、我々が最後だった。

参加者は、わがユニーク・オイル本社から急遽出張したホソカワ常務、交渉チームリーダーの私、技術リーダーのタカヤマ氏、経済・契約担当ノモト氏、ユニーク・オイルの株主Ｊ社の社内弁護士アンソニーとＤＸＢから来た契約弁護士リッチーの六人。ＡＵＨ国営石油からは、ＱＡに入国することができる選任弁護士ただ一人だった。

一方、難敵ＱＡ国営石油はフルメンバーだ。

選任弁護士に加え、経済担当チーム三人と法務スタッフ二人、さらに技術担当チーム二人とハミッド氏が陪席者として控えている。しかも場所はＱＡ国ＤＯＨ市のＱＡ国営石油本社、私たちにとって、会議は完全アウェイだ。

もちろん、会議の場所が決定した瞬間から、我々にとって不利な展開になることを懸念していたが、その通りとなってしまったようだ。そのうえ数の力に圧倒されそうになったが、ここで怯むわけにいかない。私は前もって考えていた作戦を実行した。

## 三者会議

お互いの自己紹介をした後に訪れた一瞬の沈黙をついて、私は勇気を持って、会議の主導権を取るべく発言した。

「まず、当方としては、ＱＡ国営石油会社とＡＵＨ国営石油会社が合意した経済条件の提示を求めたい。提示していただければ、その内容を明日金曜と明後日土曜日の両日を使って精査する。精査の結果、必要あれば、週明け三月四日の日曜日に交渉をお願いしたい」

と、わが方の要求と進め方について積極的に申し入れた。

すると、ＱＡ国営石油会社の経済担当チームのゼイード氏が口をはさんだ。

「経済条件は、まだ最終案が固まっていない。今日中には合意できると思っているが、固まり次第、提示する。ついては契約案条文の内容確認を先行させようじゃないか」

（ちょっと待て。まだ固まってない？　これでは期限に間に合わなくなるじゃないか）

会議の主導権争いどころか、肩透かしだ。

三月八日の利権契約失効日まで一週間しかない。経済条件の内容次第では更新しないこともあり得る、その場合は、契約案を確認する必要がない。だが更新する場合は、貴重な時間を無駄に出来ないのはその通りだ。ＱＡの提案を受け入れるしかない。

「事情はわかりました。時間が限られているので、我々が考える重要度の高い契約条文を優先して確認作業を行いませんか」

この提案は、受け入れられた。

契約書条文の確認作業は、ＱＡ国営石油会社の法務部長が議長を務める形で進められた。法務部長の名はマイケル・デューン。私が「名前から察するにスコットランド人か」と聞くと、

「そうだ、よくわかったな」と笑った。

「昔、ハッシ・バーミ社に出向勤務していた時、英国人石油技術者を採用するため、スコットランドの北海油田基地があるアバディーンに何度も行ったことがある。あなたと同じ苗字の方に何人か会ったことがあったのでね」と続けると、

「そうか、ハッシ・バーミ社に今もスコットランド人の技術者は働いているか」と聞かれた。

「残念ながら、国営石油会社やエンジニアリング会社に転職してしまった」と答えると、

「それは残念だったな」とデューン氏が言った。この一言、二言のやり取りで、硬い雰囲気が少し和らいだ。デューン氏の「皆さん、QA国営石油会社にようこそ」という挨拶を口火に、契約条文を確認する作業が始まった。

わが社株主の社内弁護士アンソニー氏とリッチー顧問弁護士は、契約条文の意味するところから、具体的にどのような適用となるのかまで、質問しながら手際よく確認していく。

それにしてもアンソニーもリッチーも大したものだ。彼らが二百ページ以上に及ぶ契約書案を入手したのは、二月二十六日の夜であったから、まだ四日も経っていない。

入手してから二人は、ほとんど毎晩徹夜で契約の条文を一行ずつ読みこなし、確認すべき事項と加筆修正を要請する条文をまとめ上げてあったのだ。

二人が代わる代わる条文の解釈や適用に関する質問や確認をすると、QA側は法務部門スタッフと選任弁護士はQA国営石油会社の見解を即答してくれた。だが、AUH側は即答するわけにはいかなかった。AUHの選任弁護士は全権委任されていないため、解釈や適用を

質問するたびに、AUH国営石油の法務部門の責任者と確認する必要があったからである。

アンソニーとリッチーが質問をする都度、彼は「ちょっと待って」と会議を中断して、別室でAUH国営石油に電話で確認する。どんなに時間に追われていても、確認すべき内容は細かなことでも疎かにしない法務担当者たちの確認作業は、一歩一歩、進んでいった。

私は彼ら、この席にいる法務担当者たちには期限内にまとめようという時間の感覚がないのではないか、本当に間に合うのかと不安を覚えた。

わが方の弁護士が、たった一字でも条文の加筆と修正を要求すると、QA側とAUH側ともにプライドがあるうえに、ほかの油田の利権契約との整合性が崩れるためであろうか、なかなか応じてくれなかった。

法務専門家同士のこだわりは無為とは言わないが、私は時間の制約があるので、まとめ上げることを最優先にすべきだと考えた。私たちが契約書案を確認した中で「親会社保証」をユニーク・オイルの株主に適用させないことが最重要と判断していた。ユニーク・オイルの株主からも強く要請されている。

石油開発事業はリスクが高いので、日本側のユニーク・オイルの株主は、ユニーク・オイルと自社を別会社にすることで、リスクに対して有限責任となっている。

だが、この契約更新で、新たな条件として、ハッシ・バーミ社の親会社であるユニーク・オイルに留まらず、産油国政府がユニーク・オイルの実質的な事業主体である株主に対して保証を求めることになれば、株主にとって連帯保証の無限責任となってしまう。これでは別会社にした意義が失われてしまうので、ユニーク・オイルの株主としては絶対に避けたいことであった。

だが、この話を切り出すタイミングが実にむずかしい。

会議の冒頭で、契約書案の確認を先行させようとＱＡ国営石油会社が提案し、我々は了承して重要事項を優先的に作業しようと申し入れた。確認作業の早い段階で「親会社保証の適用範囲の確認」を求めれば、この条文は優先順位が高いと産油国に言うようなものだ。

すると、産油国側はなぜこの条文の優先度が高いのかと不審に思い、ユニーク・オイルは何を考えているんだろう、そうか、ユニーク・オイルの株主にまで保証が及ぶことを嫌がっているんだな、これはユニーク・オイルの株主を保証範囲に含めることをちらつかせれば交渉材料に使えるぞという展開を、我々は恐れたのだ。

だが、もはや我々には戦術的にベストなタイミングを図って確認するという、時間的にも精神的にも余裕はなかった。気になることは、結果を問わず早く片付けたいとの思いに駆られ、私は単刀直入に保証範囲の確認を求めた。

ＱＡ側とＡＵＨ側から、親会社保証の定義は、ユニーク・オイルが実際に操業しているハッシ・バーミ社を親会社として保証することだとの説明があった。

但し保証能力を確認するため、ユニーク・オイルの決算書を毎年提出してもらうと言った。

さすがに抜け目がないと思ったが、我々が心配していた、ユニーク・オイルの株主には保証が及ばないとわかり安堵した。

だが決算内容を確認して、万一、保証能力が不足と判断されたらどうなるんだろう。「その場合は…」という条項が欠けている。本来は、二十年の契約期間中に起こりうる事態を可能な限り想定して明文化し、想定外の出来事が発生した時は、その解決方法を規定するような契約書とするべきだろう。

契約交渉の持ち時間を考えると、ここで時間を費やすわけにはいかない、確認作業を終わらせることが最優先だ。

仮に、保証能力が不足と判定された時は、その時点で対応を考えればよいと割り切った。

こうして、一行一行ずつ条文の確認作業が、三者の間で静かに進んでいく。

これは契約書案の条文を確認する事例の一つだが、長くても三十秒ほどで是非を判断していく。ごく短い時間で判断する理由は、交渉の持ち時間が少ないこともあるが、時間をかけて判断すると、なぜ、ここで時間をかける必要があるのか、何を考えているのか、自分たちが知らぬ問題が隠されているのか、と深読みをされてしまうためでもあった。そうなれば、心理戦となり「騙されまい」と、どうしてもお互い慎重にならざるを得ないため、さらに時間がかかってしまう。

法務チェックという極めて論理的な作業であっても、作戦があり、スピードとリズムも交渉に影響してくるのだ。確認対象の条文を提起するタイミングに加え、作業のスピードとリズムまで考えながら会議を進めることは、途方もなく神経をすり減らす作業でもあった。

会議が始まって、すでに二時間が経過した。

直接、作業に加わっていない私ですら、緊張が続いている。法務担当者たちの目は血走り、顔つきは厳しさを増していった。

## 問題発生

作業は午後一時近くなっていったん中断した。

QA側が簡単な軽食を出してくれた。会議室を出た廊下にサンドウィッチや飲み物が並んでいる。壁にもたれ疲れを感じながら、チーズとキュウリのはさまったサンドウィッチを口に運んだ。誰ひとり雑談もせず、私と同じように機械的に食べていた。食べ終わった者は先に会議室に戻り、直ちに条文の確認と加筆・修正作業を再開した。

そして黙々と確認、質問、再確認と検討が続き、夕方六時すぎになって、契約書の条文を確認する作業が、再び中断された。

会議室に入ってきたのは、QA国営石油経済担当チームのゼイード氏とQA国民社員であった。

ゼイード氏が言った。

「ようやくＱＡ国営石油とＡＵＨ国営石油は、ハッシ・バーミ油田利権契約に関する経済条件を合意した」

私は固唾をのんで、経済条件をまとめた表とＱＡ側、ＡＵＨ側それぞれ三十ページからなる経済条件書が配られるのを見守った。

経済条件書は別仕立てになっているが、内容は同じで契約書の一部を構成するとの説明があった。まとめた表を見ると利権料や税率、廃坑費の積立額とサインボーナスはＡＵＨ国営石油のコヨーデ氏から前もってもらっていた情報の通りで変わりない。

（よし、よし。大丈夫だ）

声に出さなかったが、安堵した。

だが、大きなところでは、「よし」であるが、よく読むと、細かな部分では問題になりそうな条件があった。

例えば、ＡＵＨ側が提示した経済条件では、基準として取り決めた油価より販売価格が高くなった時には、産油国の利益が多くなるように調整する内容だった。基準となる油価は固定ではなく、二年ごとにインフレ率をかけて上昇させることになっている。今、提示された内容は、基準として取り決める油価がＡＵＨ側の提示より低く設定されており、産油国の利益が我々が想定していたよりも遥かに大きい。

（ちょっと待てよ。これは……。株主が期待する収益見通しを確保できなければ、契約は結ぶなど株主には言われている。その任されている権限ギリギリの利益見通しになりそうだぞ。株主が何というか、どのような判断になるか心配だ）

しかもＡＵＨ側ＳＰＣのアブドーラ・ガーネム氏と一月に会った時に、産油国への貢献費として「ＡＵＨ側に毎年一定額を支払え」と言われたが、その時、減額するよう交渉した。早くユニーク・オイルに経済条件を合意してもらいたかったＡＵＨ国営石油のコヨーデ氏がわが社に味方してくれて、減額で決着した経緯があった。

しかし、今提示された内容は再び元の貢献費に戻っているではないか。

（何だこれは。約束したことはちゃんと守れ。どさくさに紛れて爪を伸ばしてきたのか、不愉快だ！）

これは絶対に押し戻そうと、私に新たな闘志がわいてきた。ＱＡ側のゼイード氏は我々が経済条件書を読み終わるのを待って、こう言った。まさに先制攻撃だった。

「ユニーク・オイルが交渉したいと考える条件があるかもしれないが、提示した経済条件はパッケージだ。条件の一部を変えれば他の条件を調整する、つまりどの条件を交渉しても産油国側の取り分は変わらないということだ」

私は、冷静に言い返した。

「ハッシ・バーミ油田は生産を開始してからすでに四十年以上も経過している。いわば成熟した油田だ。だから、我々が提示した将来の生産計画は、ＱＡ国営石油やＡＵＨ国営石油の技術者も納得してくれたが、最善の努力を払って操業しても守ることが関の山だ。産油国と会社の利益増に繋がる生産量の上振れは期待できない」

　こうも訴えた。

「生産施設も老朽化している。この先二十年に亘って操業する契約だから、当然のことながら施設の維持・更新に多額な費用が必要だ。油価が上がれば操業費や施設の維持費も連動して高騰する。油価が上昇しても会社の利益は上がるどころか、逆に費用高騰によって利益が得られないことを懸念する。生産に必要な経費すら確保できないような仕組みの契約は見直してほしい」

　だが、ＱＡ側は聞く耳を持たない。

　ゼイード氏は「ＱＡ国営石油が所管する他の油田契約に比べて、提示した条件は極めて優遇された内容だ」と、まったく取り合ってくれない。私はしかたなく「この問題は、私たちの一存では決められない。本社、株主とも協議が必要だ。検討の結果、お願いすることが出てくると思うが、週明けに話し合いをしたい」と伝えた。

　ゼイード氏は「いいでしょう、我々もお互い納得して合意したいからな」と言った。

　時計を見る。すでに針は夜八時をまわっているが、契約の条文確認はいまだ先が見通せない。わが社側の担当者はもちろんのこと、ＱＡ国営石油とＡＵＨ国営石油の選任弁護士や法務担当者も、明らかに疲労の色が濃い。

やむを得ず「今日は夜十時まで」と時間を区切って作業を継続することにした。八時以降はビル全体が消灯となった。

会議室だけマニュアルで点灯するが、十分ごと自動的に消えてしまう。手動で再点灯する手間が煩わしかった。すぐに十時になった。

金曜日、土曜日が休みなので、三月四日日曜日午前十時から、この日の続きの三者会議を再開することを確認し、会議室を出た。

ＱＡ国営石油本社ビル全体は暗いが、たった今、会議を終えた四十一階だけ明りがついていた。

ここからシェラトンホテルまで徒歩で十五分程度だ。迎えの車を頼むこともできるが、車を待っている間にホテルについてしまう。徒歩で帰ることにした。

一日中、会議室に缶詰めだったので、歩くのは心地よかった。ＱＡは車社会で歩行者優先ではない。歩き難く暗い道を車に注意しながら、六人とも押し黙ったままホテルに戻った。ホテルに着いた。

だが、仕事は終わらない。全員そのまま、専用ラウンジの会議室に集まった。これから明日の朝までにしなければならない作業の確認だ。

まず、今日の会議の結果を東京の本社と株主に報告だ。報告内容の取りまとめは私が対応することになった。次に、この日、提示された経済条件を基に契約期間中の利益見通しを試算する。この作業はノモト氏が担当した。

さらに、契約案の条文確認で説明を受けた内容を書き残しておく必要がある。再度確認する条文はないか、加筆・修正の再提案は必要ないか。今日、入手した経済条件書の条文も問題ないか精査する必要がある。大変な作業だ、また徹夜になるかもしれないがアンソニーとリッチーに対応して貰うことになった。

明日は金曜日だ。東京本社は勤務日だがＱＡは休日だ。この期間を利用して、今日提示された経済条件について、明日中に本社と株主に是非判断してもらう必要がある。そして、電話会議を開いて今後の対応方針を再確認する。寝る時間はないが、やるしかなかった。

## 緊急会議

朝は、すぐやってきた。

三月二日。金曜日午前十時三十分（日本時間十六時三十分）、借りてあったシェラトンホテルの会議室から、東京・大手町のユニーク・オイルと回線で結び、いまや、重要な電話会議が始まろうとしていた。

本社とは、まず、基本認識を確認しなければならなかった。利権契約の失効まであと六日間、この間にできること、すべき事柄を決めておく必要があった。

まず、わが社と株主が、産油国から提示された経済条件をそのまま受け入れるのか確認する。

容認せず、ＡＵＨ側やＱＡ側に条件交渉を求めるならば、どの項目を対象とするのか、いつまで交渉を続けるのか、交渉で一番大切な、落しどころはどうするか、それを決めておかなければならない。

また、契約条文の確認もしなければならない。絶対に受け入れられない条文、何とか受け入れは可能だが加筆修正することが望ましい条文、ダメもとで変更要求する条文、それらの条文を重要度と優先度に応じて仕分け、個別に対応を決めておく必要がある。

「お前たちに、すべてまかす」と言ってくれるわけもないが、せめて、我々、現地の交渉チームに与えられる権限は、どこまでなのだろうか、知りたかった。

電話会議が始まった。すると、いきなり株主から「条件交渉を行い、利益見通しを改善させたい」との意向が示された。

株主の言いたいことは、わかりやすく言えば、「利益をもっと増やしたい」ということだろう。だが、具体的にどの条件をどう交渉するのか。

すると、契約を締結したら直ちに支払うサインボーナスを増額する代りに、基準油価を高く設定する案が出た。この案は朝三暮四と同じで、契約全期間で見れば利益総額は変わらないが、直近の利益は少なく将来の利益は多くなる。だが将来の利益は、割り引き計算して現在価値で判断するのが普通で、利益の総額が同じでも直近の利益が多いほど、利益率は高く算定される。

サインボーナスを増額すれば、現在価値での利益率は低くなってしまう。株主の担当者はすでに自社の経営陣に利益率を説明しており、経営陣からは、確保すべき利益水準を指示する形で決裁されている。利益率が低くなれば、新たな決裁を取る手続きが必要になってしまう。日本ではもう金曜日の夕方五時を過ぎている。社内決済は物理的に不可能だ。

また電話会議の中で「こういうことはできないか」などというその場の思い付きのような案まで出されたが、それでも私たちは、真剣に結論が出るまで得失や是非の議論を行った。ついに結論が出た。

（一）基準油価の引上げ、（二）二年毎の油価上昇を毎年に変更、（三）産油国貢献費を減額という、三項目に絞って交渉することとなった。

私にかぎらず、DOHにいる交渉メンバーたちは、本社と電話会議を続けているうちに、次第に日本にいる人たちと、大きな距離を感じるようになっていった。

本社の言っていることが、この場に至って、実に勝手なのだ。あなたたちの言われた通り、交渉するのは構わないが、どうやって相手を納得させるのか。もちろん、そんなことは口が裂けても言えない。

「それは、お前たちで考えろ。そのための交渉チームではないか」

そう言われるに決まっている。宮仕えは実に辛い。

前日、三者会議で提示された経済条件は、AUH側のコヨーデ氏から聞いていた内容と異なっていたが、QA側はAUH側が提示した経済条件を支持しないと何度も言っていた。

ＱＡ側が認めていないのに、我々がＡＵＨ側が提示した条件にしてほしいと言っても、ＱＡ側が聞く耳を持たないのは明らかだ。

三つの交渉項目を決めた後、電話会議で私は、思わず、本社にいる株主の代表に、こう聞いた。

「先方は国営の石油会社です。したがって、貴重な国の資産を厳密に評価し、社内の決裁と承認を受けて、国としての条件を提示してきたはずです。ですので、反論するにしても。相手がなるほどと納得する材料がなければ説得はむずかしいと思われます。残念ながら、その材料は当方にはまったくありません。ですから、今のご提案は、たとえ伝えたところで、今さら何を言っているんだと、相手にされない可能性が高いと思われます。それでも交渉する意向なのか、それを確認したいのですが……」

と率直に聞いた。株主からは、

「要求しなければ何も得られない、交渉項目を提示して相手に呑んでもらうよう最大限努力してほしい」

と回答があった。

「わかりました。全力を尽くしてご希望に沿うよう、努力します」というのが株主に対しての礼儀かもしれないが、どう考えてもできないものはできないのだ。私は株主にこう伝えた。

「わかりました。交渉してみますが、期待しないでください。国営と言うことは、国家が決めたと同じことです。何が何でも相手に呑ませろとのことであれば、あなた方株主がＡＵＨと

ＱＡ両国を相手の交渉に立ち会うか、自ら交渉なさってはいかがでしょうか」
と言うと、株主は「いや、我々はその立場にない。最初から交渉は交渉チームに任せている。良い交渉成果を期待している」と言った。

当たり前だ。当事者以外、何者も交渉役の横で口をはさむことはできない。交渉は我々に任せるしかない。最終段階になって新顔が「初めまして、ユニーク・オイルの株主の誰それです。この条件を呑んでください」と言っても、一蹴されるのはわかりきっている。

まさに先の戦争で、日本軍が参謀の作戦で玉砕したのと同じ理屈だった。東京にいる参謀本部は、自分たちの身の安全を確保しつつ、最前線の兵たちには「突撃！」しか考えていないのではないかと恨み言を言いたかったが、その言葉を飲み込んだ。

経済条件の交渉に関する話はこれで終わり、電話会談の議題は契約の条文に関する話に移ったが、私はその時、別のことを考えていた。

我々は、所詮、雇われマダムのような立場なのだ。オーナーである株主には絶対に逆らえない。それにしても株主もひどい。交渉材料もなく、ただ「あれがほしい」「これがほしい」と言うだけでは、産油国から物乞い根性と言われても仕方ない。

どうすれば、国交断絶下の両国との交渉をうまく運べるか、そんな実のある相談がしたかったのだが…。

## 説得

しかし、株主に文句を言ったところで、自分に唾するようなものだ。私は、株主と約束した「三項目」をＡＵＨ側とＱＡ側に交渉してみる決心をした。

三月三日、土曜日。ＱＡは今日も休日だ。

ホテル・シェラトンのグランドフロアのレストランで朝食を取っていると、三者会談に出てもらっている株主会社の社員弁護士のアンソニーがやってきた。一目でわかる寝不足顔だ。「昨日は何時に寝たのか」と聞くと「深夜二時過ぎに寝たが、今朝は五時前に起きて作業していた」という。ここ数日は全員ほとんど寝ていない。

この日は、それぞれが自分の専門分野の作業に没頭した。

私は明日行う交渉の作戦を練っていた。

交渉で見えてきたＡＵＨ側とＱＡ側のスタンスは明らかに違う。

ＡＵＨ側は、国交断絶した国であるＱＡと共同所有するハッシ・バーミ油田は規模も小さく共同管理しようにもＱＡとは直接協議できない。

本音を言えば、これまで両国の「友好の証」だったハッシ・バーミ油田は、今では「紛争の象徴」になったと思っているのではないだろうか。しかし、このまま日本企業との今の契約が失効すれば油田施設を引き取らざるを得ず、操業を継続するか、または施設を廃棄する決断をしなければならない。

ＱＡと協議せずに操業継続は無理だ、そうなれば施設の廃棄しかない。廃棄する場合もＱＡとの協議が不可欠だ。自分たちではできない、それは誰がやるんだ。

そう考えれば、やはり日本のユニーク・オイルと契約を更新し、ハッシ・バーミ社に操業を継続させることが最善策だ。更新した新しい契約で、契約期間が満了した時には施設廃棄を義務づければよい。

ＡＵＨの実権を握る皇太子も日本との関係を大事にしろと言っている。したがって契約の条件など、今より優遇さえしなければ、どんな条件でも構わない。きっとＡＵＨ側はこう考えているに違いない。

ところがＱＡ側は違う。ＱＡはＡＵＨ連邦に国交断絶され、不当な扱いを受けたと不満に思っている。今はＡＵＨに対する不信感と対抗心が強く、国交断絶によって自立心に燃えている。しかも、ＱＡはガスの生産量は多いが、原油の生産量はＡＵＨの四分の一だ。規模が小さくとも、ＱＡにとってハッシ・バーミ油田を疎かにできない。

だからと言って、原則は絶対曲げるつもりはない人たちだ。

ユニーク・オイルは契約を更新する意向を示している。だが、ＱＡは契約の更新交渉は続けるけれど、契約が失効したら話は別だと考えている。失効後、直ちに操業と生産は停止、施設に問題があれば自ら対処するつもりだ。

そのうえ経済条件もＱＡ国営石油会社が精査した内容には自信を持っているはずだ。内容に瑕疵がある、あるいは考慮すべきことを失念していると指摘しない限り、簡単に譲歩しないだろう。だとすれば、我々としては、ＡＵＨ側に味方してもらおう。

ただし、ＱＡ側は、わが社がＡＵＨ国営石油と組んだことを知れば、ますます頑なになるかもしれない。ならばＱＡ国営石油の技術チームに味方してもらい、強固な経済担当チームを囲い込む作戦がベストかもしれないと判断した。

三月四日。日曜日。朝六時、ＡＵＨ時間で七時になるのを待って、ＡＵＨ国営石油会社のコヨーデ氏に電話を入れた。しばらく呼び出し音が鳴って本人が出た。

「ナカムラか。えらく早いな、何かあったのか」と聞く。コヨーデ氏は、私の携帯番号を認識しているので、どんな時でも必ず電話に出るが、こんな朝早い電話で何事が起きたかと驚いたのだろう。

「コヨーデさん、先週木曜日の夕方に、経済条件の提示を受けた。もちろん、コヨーデさんも承知しているでしょう。株主と受諾の可否を確認したけど、うちの株主は内容に不満なんだ。時間の制約もあるので項目を絞って交渉したいと考えている。そちらが我々に提示した条件を下回らない範囲で、改善を求める交渉になる」

と一気に伝えた。コヨーデ氏はしばらく黙っていたが「わかった。いいだろう。うちが提示した条件を下回らなければ構わない」と答えた。

「本当にありがとう。もう一つ、ＳＰＣのアブドーラ・ガーネム氏が提示した産油国貢献費は、ココーデさんが減額するよう、SPCの間を取り持ってくれましたよね。多分、アブドーラ・ガーネムさんが、ごり押ししたんだろうけど、渋る株主をようやく説得したんだから、いまさら額は変えられない。アブドーラ・ガーネムさんを、もう一度、なだめるようお願いします」

と頼み込んだ。ココーデ氏は、

「嫌な役目だな、俺もあの男は苦手なんだ。でも仕方ないな、一度約束したことだから」

と答えた。苦笑いを浮かべていることだろう。

「朝早くから電話して申しわけなかった、でも大変助かった。ありがとう」と言うと「気にするな兄弟。うまくいくよう願っている」と返され電話を切った。よしAUH側はうまくいった、味方してくれた。今度はQA側だ。六時三十分過ぎたことを確認して、電話を入れた。

しかし、ハマッド氏は相変わらず捕まらない、なぜこんな早くから会議しているのか不思議だ。次にベイケル氏に電話すると、すぐに出た。

「ベイケルさん、先週木曜日の夕方に経済条件の提示を受けて、株主と受諾の可否を確認したが、うちの株主は内容に不満なんだ。時間の制約もあるので項目を絞って交渉するつもりです。ハッシ・バーミ油田はすでに生産のピークを過ぎているので、想定以上に生産できる可能性は低い。それどころか想定を下回る可能性すらある。油価が高騰した時に操業費が連動して上昇すると会社の経営が苦しくなる。この要素を勘案すると、経済条件を緩和して安定して操業できる環境を整えることが双方にメリットがあると考えているんです。ベイケルさんも双方にメリットがあると思うなら、我々をサポートしてほしい」

とゆっくり説明して、ていねいにお願いした。

ベイケル氏はハッシ・バーミ社の技術諮問委員会メンバーとして会議に出席し、ハッシ・バーミ油田の作業計画や予算を承認する立場で、会議の議長も務めている。技術面はもちろん、ハッシ・バーミ社の経営に関する問題はよく理解している。ベイケル氏は、こう答えた。

「ナカムラ、君の言いたいことは理解しているつもりだ。だが、何度も言うようだが、経済条件は経済担当チームの専管事項だ。だから交渉の中で、経済担当チームから技術的な見解を求められれば、お宅をサポートする」

「ベイケルさん、ありがとう。その時はサポートをお願いします」とお礼を言った。ベイケル氏が技術面のサポートに留まることは残念だが仕方がない、彼の立場でできる最大限の支持であることを理解し感謝した。

## 全てが

午前十時三十分、ＱＡ国営石油本社四十一階の会議室に関係者が集まった。

まず、私が口火を切った。

「提示された経済条件は、わが社の株主にも伝え、協議を行った。その結果、基準油価の引上げ、二年毎の油価上昇を毎年に変更、産油国貢献費減額の三項目について見直しをお願いしたい」

だが会議の空気は、まったく変化がない。特にQA側の経済担当チーム、ゼイード氏の反応は冷静だった。

「先週末に提示した経済条件は、他の油田契約と比較しても利益率は極めて高い。貴社の三項目を要求通り見直すならば、他の条件を変更する必要がある」

と木曜日とスタンスはまったく変わらない。それでも私は訴えた。

「基準油価の設定が低いと、油価が高騰した時には操業費も連動して上昇するので、取り分が少ない会社の経営は悪化する。逆に、低油価の時に採算が取れない設備投資も、油価が高騰すれば経済性が成り立つことがある。そのような状況になっても、会社経営の観点から設備投資に応じられない可能性が高い。会社側が設備投資できなければ、産油国側にとっても不利益となる。双方の損に繋がらぬよう、何としても基準油価は高く設定してもらいたい」

こちらの言い分も基本的には木曜日と変わらない。新たな交渉材料がないまま、お互いの言い分は平行線となった。思いあぐねたのか、QA国営石油経済チームのゼイード氏が声を発した。

「ユニーク・オイルが見直しを要請するからには、将来の利益見通しをシミュレーションしているだろう。うちも試算している。お互いの試算結果に齟齬がないか確認してみよう」

(しめた厚い壁に風穴があいた！)

わが社が提示した技術提案書がQA側とAUH側から受け容れられ、この先二十年間の設備投資と操業費、生産見通しが合意されれば、利益見通しは誰が試算しても同じ結果になる。違いがあるとすれば、産油国には無関係の為替の変動と操業費とは認められない本社経費くらいだ。

しかも、QA側とわが社の利益見通しが同じ試算結果になっていれば、同じ土俵で経済条件を議論していると確認できる。QA側は会社にどの程度まで利益を認めるか、ここからが交渉だ。「わかった、比較してみよう」と受け入れた。

わが社の試算結果は円建て、QA側はドル建てと為替の違いはある。また油価を高めに期待する産油国とリスク回避のため低めに想定する会社は立場の違いがあるが、おおむね同じ試算結果であることを確認した。

(おっ、これはひょっとすると……)

なんだか、暑い壁の向こうから涼しいチャンスの風が吹いてきた感じがした。

それにしてもなぜここにきて急に、と思った時、QA国民社員から「ちょっと話がしたい」と言われ、別室で話し合うことにした。

(何だろう? 彼は何者だ?)

国民社員の彼とゼイード氏の肩書と上下関係はわからないが、雇われ外国人スタッフと違い、国民社員は、マネジメントに意見や提案ができる立場だ。

私は別室の席で、まず国民社員の名前を確認した。彼はファイサルと名乗り、思いもよらぬことを言い出した。

「ミスター・ナカムラ、あなたから要求があった基準油価は変えられないが、基準油価を超えた時に、会社の取り分を少し多くできないか、私から上司に掛け合ってみよう」

「本当ですか。よろしくお願いします」

私は、彼の細い手をしっかりと握り、自分の気持ちを伝えた。この場に至って、強硬なQA側がわが社の依頼に応じてくれるとは。それにしても、なぜ、彼が助け舟を出してくれたのか、私にはわからなかった。

だが現実に、チャンスの風が確実に吹いている。その時、閃いた。今朝、QA国営石油のベイケル氏に協力をお願いした後、ベイケル氏は部下で後継者のエルサーダ氏に、情報共有としてわが社の要請内容を説明したのではないだろうか。そして、ひょっとしたらエルサーダ氏は親族のエルサーダ大臣にも話をしたのかもしれない。

大臣は、私と食事をした時に「交渉の成功を祈る」と言ってくれた。

まさか、一国の石油大臣が、一介の日本人社員である私のために、国民社員に直接指示したとは考えられないが、ベイケル氏かエルサーダ氏が、石油大臣の意向を忖度して、ゼイード氏の同僚ファイサル氏に話を繋いでくれたのではないか――。

湾岸諸国は部族社会だ。QA国営石油の社員であれば、会社に対する忠誠心はもちろんある。だが、部族社会の文化では、会社への忠誠心より部族間の絆のほうが強い。こうした頼みごとは国民社員同士でよくあることだと聞いている。

では、なぜファイサル氏が、QA国営石油会社への忠誠心に反するような頼みごとを受け容れて、わが社に助け舟を出してくれたのだろうか。

私が想像する答えは、わが社の実績だと思う。きっとベイケル氏やエルサーダ氏は、ハッシ・バーミ社を通じたわが社との長い付き合いで、ユニーク・オイルとその社員は信頼できると思ってくれているのだろう。そしてこれからも、わが社と一緒に仕事をしたいと考えている。

そのためには契約の更新がどうしても必要だ、だが担当している私が経済条件で困っている。QA国営石油会社への忠誠心を裏切らない程度で、何かしてやれないだろうか、ベイケル氏かエルサーダ氏が経済担当ファイサル氏に、そう頼んだのだと思う。

これを受けて、ファイサル氏が考えたのが「基準油価を超えた時の会社の取り分を増やす」という提案だったのだ。おそらく、この提案内容は彼の同僚の外国人であるゼイード氏には相談していないはずだ。

この文化が、まさに部族社会だ。

（これは繋がりだ！　すべてが繋がっている！）

この時、私はQAの友人たちとの熱い絆、一体感を強く感じた。

「それは大変ありがたい、是非ともよろしくお願いしたい。産油国貢献費の支払いはAUH側の提案だと理解している。御社に支障なければAUHに減額するよう直接申し入れる」

私は、熱い感謝の気持ちを込めたお礼を言った。

「あなたが言う通り産油国貢献費はＡＵＨが提案したもので、ＱＡの経済計算には反映していない。ＡＵＨが譲歩すれば、ＱＡも受け入れると約束する」

ファイサル氏は、力強くそう言ってくれた。

夕方四時になった。

先のファイサル氏が部屋に入ってくるなり、契約条文を確認している我々に向かって「作業を止めるように」と言った。

「ＱＡ国営石油会社のマネジメントは、ユニーク・オイルから検討要請を受けた、基準油価を超えた時にユニーク・オイルの取り分を増やすことについて、検討の結果、認められないとの結論になった。以上です」

ファイサル氏はそう言うと、

『自分としてはできる限りのことをしたのだが、認めてもらえなかった』と言いたげな顔をして「マレーシュ（英語のＳｏｒｒｙより仕方ないの意に近い）」と私に向かって小さく一言言って、去っていった。

この通告は、交渉した項目が通った、通らなかったという勝ち負けの見方でいえば完敗だ。不満げな株主の顔が目に浮かんだ。だが、要求した項目を勝ち取れなかった敗北感よりも、ＱＡのファイサル氏がわが社のために頑張ってくれた、結果はともあれ、その心尽くしに感激し、感謝する気持ちのほうが強かった。

経済条件で残っている交渉項目は（三）の産油国貢献費だけだ。夜八時過ぎになって、ＡＵＨ側の選任弁護士から「ＡＵＨ国営石油会社は産油国貢献費を減額することに合意した」と報告があり、一方、ＱＡ国営石油会社は、直ちに「減額には異存ない」と表明した。結局、経済条件の交渉で要求が通ったのは、産油国貢献費の減額だけだった。

もっとも、私はこの項目は要求が通ると確信していた。これは理屈ではない、ＡＵＨ側のコヨーデ氏との信義と信頼関係から確信していたのだ。またＱＡ側のファイサル氏が、ＡＵＨが譲歩するならＱＡも減額する、と約束していたからであった。

## 要求

三月五日。月曜日。日本との電話会議が行われた。

三者会議で要求した経済条件見直し交渉の結果、三項目のうち、一つ、産油国貢献費が減額できた旨を日本にいる株主に報告した。

「そうか、よくやった」と言われるとまでは期待していなかったが、なんと株主は、むずかしい交渉の連続と、二百ページ以上の契約書の一行一行の確認、それも三者会談という方法で、疲れ切っている私たち現地スタッフに対し、「再交渉せよ」と要求してきたのである。

しかも、彼らは私たちにこうも付け加えたのである。

「経営陣から、契約交渉が決裂する覚悟と気迫で会議に臨めと言われている。この意向を踏まえて、交渉にあたって貰いたい」

また「突撃！」のラッパだった。今度の命令は「玉砕も辞さぬ決意で」とおまけつきだった。

ここまでの交渉経緯で、再交渉しても結論は見えていた。私は聞いた。

「再交渉しますが、本当に決裂しても構わないのか、その点を確認したい」

当然のことながら、株主はこう答えた。

「交渉に臨む姿勢を言ったまでで、決裂は困る」

「では、経済条件の改善については期待しないでもらいたい、改善できなければ経済条件を受け容れると表明する」

と伝え、電話会議を終えた。もちろん、私はこれ以上の出世は望んでいない。

本社もどこかで、開き直った私がキレて、万一、交渉のテーブルをひっくり返し、契約が存続せず、子会社は倒産し、日本に原油が来なくなったら、その責任の一端が東京で指示を出していた自分にかぶってくるかもしれないと恐怖を覚えたかもしれない。急におとなしくなった。

午後一時十五分、ＱＡ国営石油四十一階の会議室に再々集合。

私は「株主の意向として、再交渉を要求したい、基準油価と基準油価を超えた時の配分比率を何とか見直してほしい」と伝えた。

ＱＡ側のゼイード氏は、我々が有効な交渉材料を持ち合わせていないことを見抜いていた。

そして、言い含めるように、穏やかにこう話し始めた。

「経済性の試算では他のプロジェクトに比べて倍近い利益率との結果になっている。ユニーク・オイルが主張する、成熟した小規模油田で、生産量が下振れする可能性があること、施設老朽化により維持費が嵩むこと、油価高騰時に操業費が上昇リスク等をすべて織り込んだとしても、QA国営石油会社が他のプロジェクトで認めている水準より、遥かに高い利益率になっている。ではなぜ、AUH側がユニーク・オイルに提示した経済条件と異なる条件でQA国営石油会社とAUH国営石油会社が合意したのか、いい機会だから、細かく説明しよう」

ゼイード氏はそう言うと、これまでのQA側とAUH側との協議を、段階と歴史を追って説明しはじめた。それは会議室にいる私たちに向かってではなく、日本にいる本社と株主たちに伝えているような、実にていねいな説明だった。

「実は国交断絶前に、AUH国営石油会社に対して、QA国営石油会社が他の油田に認めている水準を示し、ユニーク・オイルには同じ水準の経済条件とすることを両社で合意していた。ところが国交断絶後、QA国営石油会社と協議できなくなったAUH国営石油会社は、どのような考えに基づくものなのか、QA側と協議することなくユニーク・オイルに経済条件を提示してしまった。これはユニーク・オイルに感謝しなくてはならないが、双方が弁護士を選任することになり、今年に入ってQA国営石油会社とAUH国営石油会社は協議を再開することができた。私たちは弁護士を通じて、AUH国営石油会社がユニーク・オイルに提示した経済条件を入手し、検証してみた。すると、明らかな間違いを発見した」

「その間違いとは、AUH側の試算では、すべての随伴ガスを有償とする前提になっていた。本来は、洋上施設で利用する随伴ガスだけ有償とすべきところ、すべてのガスを有償とすれば、ユニーク・オイルの利益率は低く算出されてしまう。AUH側はこの間違いに気づかず、ユニーク・オイルに対して、国交断絶前に取り決めた水準の経済条件を提示してしまった。ユニーク・オイルを極めて優遇する内容になったのは、自然の成り行きだ。すでにAUH側がユニーク・オイルに経済条件を提示したからといって、QA国営石油が不利益を被る理由にならない。QA国営石油会社はAUH国営石油会社と協議して合意しない限り、AUH国営石油会社がユニーク・オイルに提示した経済条件は支持しないと言い続けたのは賢明だった」

さらにこう続けた。

「事情がわかりましたか。ユニーク・オイルは再三にわたって、基準油価を引き上げるよう求めているが、QA国営石油会社としては、他の油田に認めている水準に近づけるためには、基準油価を低く抑える以外に方策がなかった。もし、ユニーク・オイルがサインボーナスを増額するので、基準油価を上げてほしいと言えば、最初に言った通り、パッケージだから考慮する。だが考慮には時間がかかりAUH側とも新たに合意が必要だ。そんなことをしていたら、契約更新期限の三月八日までに、この契約を完了させることは絶望的になるだろう。ユニーク・オイルがサインボーナスの増額を言い出さなかったのは、私は最良で賢明な判断だと思っている。これが事実だ、経済条件に納得してもらいたい」

私は、三者会談の席上ですべての事情を打ち明けてくれた彼に感謝し、扱い難い雇われ外人だと見なしていたことを申しわけなく思った。

彼が話し終えたのを機に、立ち上がってこう言った。

「ゼイードさん、ていねい、かつ誠実な説明をありがとう。事情もよくわかった。我々は、あなたの説明を覆せる材料を持ち合わせていない。わが社の株主は不満かもしれないし、怒るかもしれないが、ゼイードさんの説明を正確に伝えようと思う。多分、株主も納得してくれると思う」

経済条件交渉は終わった、あとは契約書を仕上げるのみだ。

この日も夜遅くまで、四十一階の会議室で条文の確認作業を行った。これもまた大変な作業であった。

なぜなら、この契約書案は他のプロジェクトの契約書を雛型にして、ハッシ・バーミ油田の契約に合うように、条文の一部を修正して作ったからである。しかも国交断絶以降は、経済条件の協議と同様に、誰もイニシアチブを取らず、結局のところ、ＡＵＨ側とＱＡ側がそれぞれ弁護士を選任して、ようやく動き出したのだ。

もちろん、契約案担当者は、必死の形相で詰めの作業を行っていたが、国交断絶後のブランクの影響は大きく、他の油田に固有の条文が残ったままであったり、逆にハッシ・バーミ油田に固有の事柄が抜け落ちているのを発見したりして、難儀を極めた。

その一例を挙げると、油田利権契約にも関わらず、まず肝心なハッシ・バーミ油田の定義が抜け落ちていた。

現契約は地下三千メートルにあるハッシ・バーミ油田の地質構造を利権対象としていたが、油田の緯度と経度が定義されないままになっていた。新契約では油田の範囲を緯度と経度で正確に定義する必要があると指摘した。指摘は当然と、QA側はすぐに技術チームがQA海域の範囲を定義付けて法務チームが条文に落とし込む案を作成した。

一方、AUH側の選任弁護士は、AUH国営石油会社の法務部門とコヨーデ氏に連絡を取り、コヨーデ氏はさらに担当部署である探鉱部門に確認を取らねばならず、ハッシ・バーミ油田に関するAUH側の定義づけは、契約更新期限二日前の三月六日に完了した。

一事が万事である。他に不適切な個所、抜け落ちた部分がないかを確認する。

予算管理手続きや支払条件等、二国で異なっている部分はどうするか。慎重かつ冷静に進めなければならない作業と、三者が納得して合意を形成するプロセスは、とてつもなく時間がかかったが、絶望的になりそうな気持ちを無理やり抑え込み、私たちは疲れを飲み込み、我慢強く作業を続けていった。

# あと二日

三月六日。火曜日。契約更新期限切れまで、あと二日。

私は再交渉の結果を日本で待ち構えていた本社役員と株主に伝えた。株主も結果を半ば予想していたのか、この日は淡々と報告を聞いていた。

私の報告を受けて、本社と株主は、それぞれ各社で臨時取締役会を開いて機関決定の手続きを進めた。そして即日決裁。これによって五年越しの交渉は実質的に終了した。

経済条件を承認し、契約書案が問題なく仕上がることを条件として、利権契約の更新は正式に承認された。ハッシ・バーミ油田の石油利権契約を更新することについて、わが国の資源エネルギー庁にも報告した。

すべては収束に向かって、大きな歯車が急速に動いている。

これで、この先二十年間は、日本に原油を無事に届けられる。私の仕事も、いよいよ終わりに近づいた

だがDOHでは、引き続き契約書の確認作業を継続していた。

ユニーク・オイルと株主は、経済条件の受け入れを承認したと連絡があった。直ちにQA国営石油会社とAUH国営石油に「提示された経済条件に合意することを、ユニーク・オイルと株主は承認した」と伝えた。QA側、AUH側は、ともに冷静で「それは良かった」と短く言った。会議室は、一刻も早く契約書の確認作業を終わらせようという意識に包まれた。

私もその作業を見守っていた。

その時、親友のアーメド・ジャバル氏から電話があった。

「今、何をしている。夕食でも一緒にどうだ」と言う。交渉チームには申しわけないと思ったが、契約書の最後の確認作業は専門チームに任せて、抜け出すことにした。「いいね、よい報告もあるし」と答えると「だから夕食はどうだ、と言っているんじゃないか」と返してきた。

彼はすでに、経済条件を合意したことを知っている。これは驚きだった。

「地獄耳だな、じゃあ楽しみにしている」と言って電話を切った。

急いでＱＡ国営石油本社ビルを出て、シェラトンホテルに戻り、ロビーで待っていると、アーメド・ジャバル氏がホテルまで迎えに来てくれた。どこに行くのか聞くと「Ｍｏｒｉｍｏｔｏに行こう」という。ＱＡで、今一番人気が高い日本料理店だ。アーメド・ジャバル氏は四輪駆動のベンツを運転しながら、言った。

「ナカムラが交渉の責任者だから何も心配していなかった。だけど国交断絶とか、不測の事態もあって大変だったようだな」

「うん、そうだったけど、何も心配していなかった。ハッシ・バーミ油田は、ＱＡとＡＵＨが不可分で半々の権益というユニークな事情はあるが、これまで問題なく操業してきたユニーク・オイルとハッシ・バーミ社に任せることが、誰が考えてもベストだからな。確かに国交断絶の影響は大きかったし、契約が失効寸前まで時間がかかってしまった。けれどＱＡ側も

ＡＵＨ側も、わが社を高く評価していたからね。国交断絶でＱＡ側とＡＵＨ側が直接対話ができなくなっても、わが社を仲介者に指名して間接的に対話を続けていたからね、だから、契約更新ができると信じていた。今は法務の専門チームが時間切れにならないよう、必死に契約書をまとめているよ」

と答えると、彼は車のフロントガラスを見つめながら、強くこう言った。

「いや、会社じゃないと僕は思うよ。会社の立場を代弁するのは、結局、人だからね。ナカムラも知っていると思うが、今では湾岸諸国のどこでも、日本の会社文化に倣って、一応我々アラブ人同士もお互いに名刺交換するけれど、誰も会社名や肩書なんか見ていない。どうせ何年か経てば肩書も違うし、会社も変わっているかもしれない。だから我々は、名刺交換した相手が、どの部族に属するか確認しているんだ」

さらに話は続いた。

「どの部族に属するかわかれば、その部族の中か近い部族の人に名刺交換した人のことを聞けば、人となり、信じるに値するかどうか、すぐにわかってしまう。つまり会社の肩書の付き合いじゃなくて、人と人の付き合い次第ってことさ」

そして、ゆっくりとした、それでいて強い口調で、ひと言ひと言、噛みしめるように、こう締めくくった。

「ナカムラ、君はＱＡ国営石油の社内で一番有名な男なんだぜ。それに王族の中でも良く知られている。いいか、これだけは伝えておく。だから君は、我々の仲介者として選ばれたのさ」

アーメド・ジャバル氏はしっかりと前を向き、ハンドルを握った手を緩めることなく、そう言ってくれた。私は一瞬、胸が熱くなった。

「ありがとう。そうか、買い被りでなければいいけどね。だけど、QA国営石油会社で名前が売れるきっかけを作ってくれたのは、君だよ。なんせ君はどこでもフリーパス。セキュリティの厳しいあの会社に出入り自由で、私はどれだけ助かったか。QA国営石油会社の人たちは、もちろん、君のことを知っている。その君と私が、いつも一緒に会社を訪問するから、信頼できる人の友人も信頼できるということになったんだろうと思う。本当に感謝しているよ」

そう言いながら、私はアーメド・ジャバル氏との長い交友を思い出していた。

私が彼に説明した日本の文化は、彼が理解し咀嚼して現地の人たちに伝わっていく。そして私が彼から教わったアラブと湾岸諸国の文化は、わが社のなかに止まらず、株主や現地の日本人社会に理解が広がっていく。

だから、ハッシ・バーミ社、QA国営石油会社やAUH国営石油会社に勤務する多くの国民社員の人たちは、私のことをアラブと湾岸諸国の文化を理解し敬意を払っている人間だと認識してくれたのだ。

実際に彼らの家を訪問しても、私を自国民と同じように扱ってくれる。

一つ例を挙げよう。湾岸諸国の人たち同士が会った時の挨拶は頬と頬を合わせる、もっと親密な関係になった時の挨拶は、鼻と鼻を合わせるのが伝統的な文化だ。

私がハッシ・バーミ社の国民社員と挨拶する時はもちろん、ＱＡ国営石油会社やＡＵＨ国営石油会社の国民社員と挨拶する時は、鼻と鼻を合わせている。

そんな挨拶をしている日本人はあまり見かけない。ほぼ百パーセント、握手だろう。驚いたことに、私の方がそうしているわけではない。私がお付き合いしている人たちは、彼らから当然のように鼻と鼻を合わせる挨拶をするのだ。

多分、彼らがアーメド・ジャバル氏に、私が一体どういう男なのかと聞いていたのだと思う。あたかも名刺交換した後に、どの部族に属し、評判を確かめるかのように。

そしてアーメド・ジャバル氏もまた、私のことを、アラブの文化をわかっている、言わば身内のような男だと説明してくれていたのだと思う。私は酒を飲むがアーメド・ジャバル氏は酒を飲まない、でも彼は私が酒を飲んでもまったく気にしない。

その晩、私たちは久しぶりの日本食を楽しみながら、熱燗を飲み、お互いの近況や共通の知人の噂話、冗談などを交わしたのは言うまでもない。

## 進出企業

食事が終わり、ひと心地ついた頃、こんな話になった。

「ナカムラ、契約が終わったらどうするつもりだ、仕事を続けるのか」

「全部終わったらお世話になった人たちに挨拶回りをして、会社はすっぱり辞めるつもりだ。次の世代に利権契約というギフトをプレゼントできたのだから、もう、これ以上の老兵の出番はないさ」

「そうか、会社の仕事はそれでいいとしよう。でもナカムラとの関係は終わらない。これからも付き合いは続けたい」

「もちろんだ、関係はこれからも変わらないさ」

そしてアーメド・ジャバル氏は「日本に帰ったら、QAに進出したい会社があるかどうか、調べてみてくれ」と唐突に言った。

「え?」

「ナカムラはQAのことをよく知っているから、何を聞かれても説明できるだろう。わからないことがあれば、私に聞けばよい。日本の企業がQAに進出する時は、法律上、ローカルスポンサーが必要だが、私がスポンサーになる。進出企業が私にスポンサー料を支払うならば、ナカムラと折半しよう」

良い機会だから、アーメド・ジャバル氏の話を、ここで詳しく解説しよう。

歴史的に湾岸諸国は、スポンサー制度によって地元民のなかに財閥が形成された。

日本企業がQAに進出する場合は、駐在員事務所を設立するケースが多くあると思うが、駐在員事務所は情報収集が目的とされ、営利活動はしないのでローカルスポンサーは不要だ。

しかし営業活動が伴うとなると、必ずローカル資本が五十一パーセント以上入った合弁企業を現地に設立しなければならない規則がある。

つまりＱＡに進出したければ、ＱＡ人の会社と共同経営で、費用も利益も出資割合で分けることになる。もちろん、なかには進出企業によっては自己資本は百パーセントでも構わない。その代わり合弁ではなく経営権は独占したいというケースがある。

この場合は、進出企業の名を冠した現地合弁会社を設立することによって、資本と経営権は進出企業が百パーセント持つという形態をとる。この合弁会社は、便宜上ローカル資本が五十一パーセントとなるように共同経営者の名前で登記するが、これはいわば「名義貸し」だ。

この名義貸しの対価がスポンサー料だ。スポンサーは、国民にのみ許された特権でもある。つまりアーメド・ジャバル氏は、私のことを、ＱＡ人の特権を分け合う存在だと言っているのだ。現実的には、何世代にわたって自らの利益に繋げるべく、ＱＡ人がありとあらゆる事業のスポンサーとなっていて、時すでに遅しの感はあるが、悪い話ではない。

何より、特権を分け合うとまで言ってくれたことに驚いた。

「ＱＡ人の特権を分け与えると言ってくれてありがとう。ずっと石油開発の現場にいたので、日本の会社のことはよくわからないが、進出意欲がある会社を探してみよう。まあ、あてにせず待っていてくれ。でも、本当は金儲けよりも、ＱＡと日本を繋ぐ架橋になることに興味があるんだけどな」

私はそう、アーメド・ジャバル氏に自分の気持ちを正直に伝えた。すると、彼は笑いながら、こう言った。

「ナカムラはすでに半分ＱＡ人だ、もう十分架橋になっているよ、お互いにね」

## 横槍

三月七日水曜日。利権契約失効日の前日になった。

引き続き、契約書の確認作業が続いた。

鉱区の緯度と経度を定義する作業や予算管理の手続きなど、確認と合意形成に時間がかかった項目は、すべてクリアした。

ＱＡ国営石油会社とＡＵＨ国営石油会社は、ハッシ・バーミ油田で原油生産に伴う随伴ガスの取り扱いで協議を重ねていたが、今日までに決着できなかったとのこと。結局この問題は、時間を区切って継続協議することで合意したそうだ。同じ油田からの生産物だが、ガスの権利はすべて産油国に帰属するので、そもそもわが社に関係しない。両国は継続協議をすると聞き、利権更新契約に影響がないことが確認できて安心した。

（ああ、あと、もう少しで契約が更新される。やっと日本に帰れる！）

あれだけ大変だった交渉も、いよいよ終わりを告げる日が近づいてきたと、感慨に浸っていた矢先、思わぬことが起こった。

ＡＵＨ国営石油会社を統括するＳＰＣ（最高石油評議会）のアブドーラ・ガーネム氏から、私の携帯電話に、直接、連絡が入ったのだ。

「ミスター・ナカムラ？　ちょっといいか。忙しいので手早く言うが、ユニーク・オイルがＳＰＣに支払うサインボーナスの件だが、契約書案に記載している『契約書に署名してから十営業日以内』でなく、『五営業日以内』に支払うよう変更しろ。産油国貢献費も同じだぞ」

（え、何を言ってるんだ。この期に及んで）

私は、一瞬、動揺したが、その挑発には乗らず、落ち着いて答えた。

「アブドーラ・ガーネムさん、契約書はすでに出来上がっているんですよ。いまさら文言の変更はできませんね」

と言うと、アブドーラ・ガーネム氏が怒りだした。

「そんなもの、いくらでも変更できる。いま私が言った話を飲まないと、ＡＵＨ国営石油会社が調印しても、ＳＰＣは承知しない、私の力で契約を無効にしてやる」

と脅すようなことを言う。

「そうですか。そこまで言うなら、どうぞ、その話をあなたから直接、ＱＡ国営石油会社と話をしてＱＡ側との合意事項にしてくださいよ」

と、私がかろうじて返すと、アブドーラ・ガーネム氏は国交断絶中の相手国と話をするだけでどんな罰を受けるかわからないので、少し怯んだ。国家反逆罪に問われかねないからだ。でも、アブドーラ・ガーネム氏は言い出したら聞かない。

「お前はいま、ＱＡ国営石油会社の事務所にいるんだから、お前から向こうに話をして変更すれば済む話だ」

と無茶苦茶を言う。私は、産油国貢献費を減額したことを、彼が根に持っているのだと察し、私はこんな妥協案を提案した。

「わかりました。どっちにせよサインボーナスは支払うことになるんだから、五営業日以内に支払います。ただし、もし、ＱＡ側が契約書の記述変更に反対したら、条文はそのままにして、いま約束した通り五営業日以内に支払いますから、それでいいですね」

と言うと、アブドーラ・ガーネム氏は「わかった、お前の言葉を信じる」と言ってようやく収まった。わが社にとって、十日以内が五日以内になったところで、実害はない。

ただし、支払い手続きをする本社の経理部の対応が懸念される。アブドーラ・ガーネム氏との電話を終えてすぐに今の話を本社に連絡した。続いてＱＡ国営石油会社にも、今の電話内容を伝えた。ＱＡ側も支払いが早くなるのだから特に文句もなく、条文修正することも合意した。

それにしてもこの切羽詰まった時に、電話で脅すなんてあまりにもひどい。契約書の条文の一字を変えるだけで、どれだけの人が関わり、時間がかかるということがわかっているのか。中東で勤務した人なら必ず経験する『何が起きても不思議はない』ことが、この期に及んで起きてしまったが、関係者全員の素早い対応で切り抜けられて、ほっとした。

契約書が出来上がった。すでに、夜八時を過ぎていた。

ＱＡ国営石油会社本社ビルの一斉消灯時間を過ぎて暗くなった会議室に、デューン氏が部下に契約書を五部、運び込ませた。いよいよ契約書への署名である。通常、油田契約の署名はあらかじめセレモニーの日時を決めて、大臣、官庁、企業側の社長、株主代表など多くの人たちが出席して華やかに行われる。

だが、我々の契約書の署名はセレモニーもなく、照明が定期的に消灯する殺風景な会議室で極めて事務的に手早く行われた。

なぜなら、明日が利権契約の失効日。ＱＡ国営石油会社との新契約書の署名手続きが終了次第、新契約書を持参して、深夜便でＡＵＨに移動。明日中にＡＵＨ国営石油会社とＳＰＣ（最高石油評議会）との署名手続きを終える必要があるからであった。

新契約書の署名箇所をみると、ＱＡ国営石油会社のシェリダＣＥＯはすでにサイン済みだった。署名手続きに合わせて出張してきた、わが社、ユニーク・オイルのオオタカ社長とハッシ・バーミ社ヤマモト総支配人が、署名箇所を確認しサインした。これは三箇所、五部だから十五回署名すれば作業完了だ。

あとはウイットネス（証人）のイニシャルサイン。これは契約書の全ページにサインが必要だ。サインするＱＡ側、ユニーク・オイルとハッシ・バーミ社の担当者は、横一列になって流れ作業でサインした。私はユニーク・オイルのイニシャルサインを担当した。ページを飛ばしていないか確認するため、アンソニーが横に座っている。ワンセット約二百ページに及ぶ新契約書が五部、合わせて千ページ近くサインしなくてはいけない。

徐々に腕が鈍ってくる、定期的に起きる消灯で一息つく機会となった。ようやく全ページのイニシャルサインが終わった。すでに、時計は十時を過ぎていた。

## 更新契約発効

デューン氏と居合わせた人たちに挨拶をして、四十一階の会議室を出た。

契約書五部を携え、QA国営石油本社ビルを出て、通いなれたコーニッシュ通りの暗い歩道をシェラトンホテルに向かって歩いていた。

だが、契約完了の満足感、達成感が沸いてこない、なぜだろう。

シェラトンホテルに着いて、皆、夕食がまだだったことに気がついた。空腹感も忘れるほどの異様な疲労感が全身を襲っていた。私たちは契約書を携えたまま、グランドフロアにあるレストランに全員集まった。朝食をここで取ることはあっても、晩飯は今回初めてだ。

オオタカ社長がシャンパンを頼もうと言った。シャンパンで乾杯し、ようやく、心が動きはじめ、感情が出てきたようだ。契約失効前にすべてを完了させようと集中し、あまりに緊張していたため、サインを終えてもすぐには、心の緊張が解けなかったのだろう。

「おめでとう、ようやく終わった、契約前に完了できて本当に良かった」

全員、思いは同じだった。シャンパンを飲みほした時、ＡＵＨ国営石油会社のコヨーデ氏の顔が浮かんだ。

（そうだ、彼にＱＡ国営石油会社が契約書に署名したことを伝えなくては…）

時計を見た。十一時だ。ＱＡ時間で夜十一時ということは、ＡＵＨ時間で深夜零時だ。ためらいを感じたが、コヨーデ氏と署名手続きが完了した喜びをわかち合いたくて、携帯電話を取った。

コヨーデ氏はすぐ電話に出た。

「ナカムラ、電話を待っていたよ」

「こんな遅い時間に申しわけありません。一時間ほど前にＱＡ国営石油会社と正式な署名手続きが終わりました。このことを伝えたくて無礼を承知で電話しました」

「いや、まだ寝るには早い。実は連絡があるかもしれないと思って、待っていたんだ。ナカムラ、契約失効前に更新手続きができて本当に良かった。こっちも、生産、操業停止にならずに、本当にほっとしている。君の誠実な対応で得られた成果だ、ありがとう。こちらこそ、礼を言うよ。明日はＡＵＨ国営石油会社とＳＰＣ（最高石油評議会）との署名手続きだが、誰が来るのかな。ミスター・ナカムラ、君が来てくれるとうれしいけどな」

「いや、私はもう年だからこのままＱＡに留まる予定だ、そして明日の夜に、日本に戻るつもりだ。明日は、ミスター・ノモトが署名手続きをするのでよろしくお願いします」

「わかった兄弟、気をつけて帰ってくれ。また逢う日を楽しみにしている」

「一度、日本に戻ってから、改めてお礼を言うため、そちらを訪問したいと思っている。日程調整で連絡するので、その時会うことを楽しみにしている」

私は万感の思いで、携帯電話をポケットにしまった。

三月八日。木曜日。契約が失効する日であり、更新契約が発効する日。

その未明、午前二時過ぎ、ノモト氏は署名済み新契約書を抱えて、DOH発MCT行きの便に搭乗した。

QAとAE連邦の国交断絶により、DOHとAUHを結ぶ直行便がないからだ。そのため一端、OMのMCTでAUH行きの便に乗り換え、AUHには午前十時に到着した。空港にはハッシ・バーミ社の社員が待機していた。

二人はすぐさまAUH国営石油会社に向かい、署名手続きの開始を求めた。一方DOHでは、オオタカ社長、私、タカヤマ技術チームリーダーが、朝七時四十五分にQA国営石油会社の本社受付で、ハリッド上級副社長との面談手続きを行っていた。

面談アポ時間の八時五分前になったので、二十二階の彼の執務室に行き、すっかり馴染みになった秘書のルブナンに取次ぎをお願いした。五分ほど待っていると、ハミッド氏が二十八階の自分の執務室から降りてきて、ハリッド上級副社長の部屋に入った。そして我々もルブナンから促され、ハリッド氏の部屋に入った。私は彼と鼻と鼻の挨拶をする。

オオタカ社長が口火を切った。

「おかげさまで、昨日、無事に契約書に署名しました」

すると、ハリッド氏がオオタカ社長の言葉を遮った。

「ユニーク・オイルとＡＵＨ側も、どちらかというと否定的だったが、私は契約が失効する前に新契約が締結できると確信していた。もちろん、それを達成しようとする全関係者の努力がなければ完了できなかったことは間違いない。ユニーク・オイルが望んでいたハッシ・バーミ油田の操業が継続でき、さぞうれしいことと思う。これからも安全操業と安定生産、そして環境対策を大事にしてもらいたい」と言った。私も、つい、口をはさんだ。

「ハリッドさん、あなたは私と二月に会った時、全関係者が努力すれば期限内に新契約は締結できると確かに言っていました。でも、そのおかげで私はＤＯＨのホテルに缶詰めとなり、酒浸りとなって、もはや、アル中になる寸前だった。えらい目にあった。ところで、ハリッドさんは契約が完了出来ないんじゃないかと思いませんでしたか。できない確率はどれくらいあったと思いましたか」

「確信はあったけれど、本音を言えば失効する確率は十パーセントぐらいはあるかもしれないと思っていた。でも、生産停止にならなくて本当に良かったと思っている」

横からハミッド氏も参加してきた。

「ナカムラがアル中になりそうだった、と言うのは本当だと思いますね。思うように進展せず、ストレスがたまる時期が長かったと思うけど、よく我慢したね」

笑いが起こった。笑い声が聞けたのは何か月ぶりだろう。このやり取りの間、ハリッド氏は、これまで何度か行った面談での厳しい表情と打って変わって、終始、ご機嫌だった。

QA国営石油会社ハリッド上級副社長との面談を終えて、シェラトンホテルの部屋に戻ると、ノモト氏から私の携帯電話に連絡があった。なんと署名してもらうはずのAUH国営石油会社総裁が、アメリカに出張中のため不在だという。

一瞬慌てた。想定外のことが起こったからであった。

だがノモト氏によれば、AUH国営石油会社の法務担当者いわく、電子署名なら可能とのこと。アメリカにいる総裁の決裁をもらって、デジタル化してあるサインを契約書に転写する。これは違法ではなく、法的にも有効だとの説明があった。

だが法的に有効でもQA側が何と言うか。一瞬不安が頭をよぎったが他に手立てはない、それで行こうと即断した。AUH国営石油会社と電子署名によるサインとイニシャルサインが終わり、最後にSPC（最高石油評議会）に契約書は持ち込まれた。いつも文句をつけてくるSPCのアブドーラ・ガーネム氏は「なぜ、この場にナカムラがいないのか」と言ってノモト氏を困らせたそうだ。

新たな更新をしなければ、六十数年に亘る契約が失効するその日の夜十時過ぎ、つまり失効のわずか二時間前に、ノモト氏から、ＡＵＨ側のすべての署名手続きは「無事に終わった」との報告が入った。

その直後、私の難敵、アブドーラ・ガーネム氏から私の携帯電話に連絡があった。

「何だろう、すべて終わったはずなのに」と、心配がよぎった。

アブドーラ・ガーネム氏は、電話口でこう言った。

「これで本当に終わった。ナカムラ、長い間ご苦労様だった」

ノモト氏から聞いた「なぜ、ナカムラがいないのか」と叫んだというアブドーラ・ガーネム氏の言葉の意味がわかった。

彼は、本心から私に会いたかったのだ。

アブドーラ・ガーネム氏の彼の深く熱い心に気がついた。

アブドーラ・ガーネム氏と私は二十五年近い付き合いになる。ハッシ・バーミ社の技術諮問会議にＳＰＣ代表として出席する時は、彼は決まって私に向かって鋭く質問する。他の人が回答しても、返事もしない。ただひたすら、私が回答するのを待っていた。

私の言う言葉だけを信用した。別に、彼は人見知りではない、だが、とても気むずかしい人だった。わが社やハッシ・バーミ社に対して、ＡＵＨ側から何か文句や要求がある時も、必ず私に連絡してきた。私がそれまで出向していたハッシ・バーミ社から東京のユニーク・オイル本社に帰任しても、私を追いかけて、ＡＵＨからわざわざ国際電話をかけてきた。

私も「この人は、どうして何でもかんでも、私に向かって言うんだ」と思いながらも、彼の要求や文句に応えてきた。彼にとって、ユニーク・オイルとハッシ・バーミ社イコール『私』になっていることがわかってきた。

そういえば、こんなことがあった。

それは、最高石油評議会（ＳＰＣ）事務総長閣下に、ユニーク・オイルを代表して、オオタカ社長が面談を申し入れた時のことであった。

閣下は、首長と王族の利害を調整して、国の石油行政の方針を決める役割を担っている。国の米櫃を差配する重要なポジションだ。したがって、簡単に会えない人だ。この時、わが社が切望するこの面談を設定するため、骨を折ってくれたのが、アブドーラ・ガーネム氏であった。

アブドーラ・ガーネム氏は、閣下に面談の必要性を説いてくれた。だが、面談の日程が決まらないまま、彼は、急遽アメリカに出張することになった。

すると、彼は飛行機の中から何度も私に電話をくれた。そして「閣下との面談日程が決まったのか、気にしている」と私に言った。私が「まだ確定していないで、困っている」と言うと、彼が直接ＳＰＣの閣下秘書と調整して、アポが確定するまでフォローしてくれた。

そんな彼のことだ。きっと彼は、今回の新しい契約に署名する時は、私が立ち会うべきだと思ったのだ。

そして、何より、アブドーラ・ガーネム氏は契約が完了できた喜びを、私とわかち合いたかったのだろう。

そうなのだ。彼は気難しく強面だが、本当は心の優しい男なのだ。

## 繋ぐ — LINKAGE

夜十一時三十分、私は荷造りをしている。

日付が変わる午前零時三十分に、馴染みのドライバーが迎えに来るはずだ。

約二か月間の出張だった。二〇一三年九月から始まった利権契約の更新交渉は、四年半かけてようやく終わった。この間、一体、何度出張したことだろう。ひと月に三度往復したこともある。日本航空が一九九〇年にAUH到着便の就航を終えた後は、香港やバンコック経由で出張せざるを得ず、家を出てからAUHのホテルに着くまで、ほぼ丸一日かかった。

本当に日本から中東までは遠い。ビジネスの基本は会った回数、食事の回数というが、肉体的にきつかったけれど、頻繁に出張したことで、交渉相手と友だちになれた。いや、そうではない。交渉相手と友だちになったのではない、逆だ、友だちと交渉していたのだ。交渉というが、改めて、いま思い起こしてみると、切った張ったの交渉は一度もなかったことに気がついた。

では、四年半もの間、私は一体、何をしていたのだろう。

思いついた言葉は「調整」と「繋ぐ」だった。

利権契約の場合、産油国政府と会社の利害はほとんど一致する。

原油の生産操業は産油国が監督し、会社側が忠実に実務を担当する、いわば共同事業だ。しかし時には利害が対立する。契約に義務が明記されていない事柄を押しつけられる時もそうだし、技術的に白黒がはっきりしないことを、産油国側が有利な解釈をする時などもそうだった。そんな時は、会社の考えをはっきり伝える、理不尽な要求があれば、どこが理不尽なのかきちんと明示して改善を求める、当然のことだが、相手にも立場がある。そういう時に必要なこと、それが「調整」だ。

時にQA側、時にAUH側と個別の「調整」もあれば、あるいはQA側とAUH側、同時の「調整」もある。

理不尽なことを言う理由は何か、どのような背景があるのか、それを確認して落しどころ、妥協点を見つけることで、双方が納得する。私は、ずっとこの姿勢を貫いてきた。

振り返れば、利権契約を締結するまでの道のりは、単に「調整」の延長線に過ぎなかった。利権契約の交渉だと言って特別なルールを持ち出さず、わが社がいままで通りの姿勢で臨んだことで、QA国営石油会社とAUH国営石油会社は安心して、いままでと同じ「調整」ルールを受け容れたのだと思う。

ところが突然の国交断絶によって、QA側とAUH側の足並みが揃わなくなった。そのためAUH国営石油会社がQA国営石油会社に断りなく、わが社に経済条件を提示したことで、最後の半年は大いに苦労した。

それにしても、国交断絶で直接対話が禁じられている環境下、QA側とAUH側双方が弁護士を立ててまで、この契約を更新したのはなぜか。

現実にはAUH側の態度を不快に思ったQA側は、契約失効なら生産操業停止と開き直った。生産操業停止すれば、洋上施設から油が漏れだすなど、大変な環境問題が起きる恐れがある。それでもQA側は、一度口にしたことは決して撤回しない。

では、最悪のシナリオである生産操業停止を避けるため、QA国営石油会社とAUH国営石油会社が契約更新に向けてお互い協力したのか。答えは「ノー」だろう。

QA国営石油会社は、生産操業停止のリスクを理解したうえで、契約が失効したら、生産操業停止を命ずると言っていたのだ。

ではなぜ。答えは、わかっている。

QA国営石油会社とAUH国営石油会社も、国の貴重な資産を次の世代に「繋ぐ」ために、わが社との契約を更新したのだ。

産油国は現在の繁栄はもちろん大事だが、次世代に何をどのように残すか、常に考えている。ハッシ・バーミ油田は小さく老朽化が進んでいるが、それでも産油国にとって大切な資産のひとつである。この資産を次世代に繋ぐこと、日本との友好関係に繋げること、この目的で、QA側とAUH側は一致していたのだ。

「繋ぐ」のはわが社、ユニーク・オイルも同じだ。

ハッシ・バーミ油田から生産する原油を日本の消費地まで「繋ぐ」。それらは、日本の消費量のたった一パーセント以下だが、国民生活と経済の安定に「繋がる」と信じている。自主操業を始めて、すでに三十五年以上が経過した。ハッシ・バーミ油田の操業に関わった人は数えきれない。

先人から受け継いだ契約は新契約で「繋ぐ」。

操業を次の世代に「繋ぐ」。

リンケージ――。

それが、天から与えられた私の「務め」だった。

この思いで私はＱＡ側とＡＵＨ側との「調整」をずっと続けてきて、この日ついにすべて「繋がった」のだ。

三月九日。金曜日。午前零時十五分。

私がホテルでチェックアウトしていると、レセプションの担当者は「長い滞在でしたね、また、すぐお会いできますように」と言った。

「そうだね、次はいつかわからないがあなたと会えるといいね」と返した。時間通りにいつものドライバー、サキールが迎えに来た。

空港までは三十分の道のりだ。サキールは「良いことがあったようですね」と微笑んだ。

午前一時過ぎ、車はＤＯＨ空港に着いた。日本への直行便ＱＲ８０６便は、午前三時五分発だ。そして、成田空港には夕方七時に到着する。

チェックイン手続きを済ませ、空港内のラウンジに向かったが、とにかく眠かった。考えてみると、交渉チームがＤＯＨに集結した二月二十六日から、毎日ほとんど寝ていない。眠いわけだ。ラウンジで眠り込まないよう気をつけなければ。私は時計を見た。午前二時だ。ということは、日本時間で朝八時。

もういいだろう。私は、家で待っている妻に、電話を入れた。

一九八三年からこの仕事を続けてきて、最初の七年間はＡＵＨで妻と娘の三人で過ごしたが、その後は二度の単身赴任とほぼ毎月の出張で、ほとんど家を空けることが多かった。

私はおかげで、ＡＵＨとＱＡに多くの友人を得たが、その代償に、妻と娘にはずいぶんと寂しい思いをさせてしまったと思っている。

だが、それも、これで終わりだ。呼び出し音が鳴る。カチャ。繋がった。

「さっき、すべて完了したとＡＵＨから報告を受けた。やっと仕事が終わったよ。これで帰れる」

「良かったね、もうしばらく、行くことはないのね」

受話器の向こうから妻の声が、弾んで聞こえた。

# おわりに

三十五年六か月勤務した会社を退職して、早いもので、すでに九か月が経過した。退職する前の私は、家を出てからホテルの部屋にたどり着くまで、ほぼ丸一日要する「中東への出張」をつねに繰り返していた。

具体的に言えば、少なくとも月に一度、多い時は月に三度も、東京から現地に飛び、わが社とアラブの国営石油会社とのむずかしい特別な交渉にあたってきた。

言うまでもないことだが、中東のビジネス慣習は、期限まで時間に余裕があるとなかなか進展しない、だから業務の促進を図るには、どうしても出張回数が増えてしまう。とにかく行って、話すしか方法がないのだ。

実際、あまりの出張の多さに、睡眠障害となってしまったことがあった。

中東との時差は、AE連邦AUHとは五時間、QAとは六時間だ。出張先では、日本時間の昼頃に打ち合わせをすることが多いのでまだ耐えられるが、夜に会食の予定が入ると悲劇だ。日本時間の深夜零時過ぎにレストランでフルコースの食事をして、ホテルに戻るのは午前四時頃、これですっかり体調を崩してしまう。日本に帰国した時がもっと辛い、夜十時に床に入っても中東の時間はまだ夕方六時か五時、体は疲れていても目がさえて眠れない。時差調整に体が悲鳴を上げるのも無理はない。

退職前の数年間は、睡眠薬が手放せなくなっていたが、ようやく今になって睡眠障害から解放された。

今日は二〇一九年三月八日、妻と久しぶりの国内旅行で徳島県に来ている。

一九八四年から六年半、私は家族とＡＵＨ市で暮らし、年に一度の休暇は欧州の美術館巡りを楽しんだ。その時に鑑賞した名画が、鳴門市鳴門公園内にある大塚国際美術館に陶版で正確に複製され展示されている。

ＡＵＨに就業中、何とか仕事をやりくりし、休暇を取り、苦労して訪れたヨーロッパの美術館の名画が一堂に会している。

鑑賞していると、当時の思い出がよみがえってきた。

私は美術館の掲示板で満潮になる時間を確認すると、渦潮が出現する時刻が迫っていた。すぐに鑑賞を中断し、鳴門公園の渦の道へ向かった。渦の道は鳴門市と南あわじ市をつなぐ大鳴門橋にあり、干潮と満潮に現れる渦潮を見ることができる。

渦の道から海面を見ていると、海が川の流れのように動き出し、あちらこちらに渦潮が出現する。

渦潮ができると青い海の色が徐々に淡いエメラルドグリーンに変化していく。この渦潮の淡い緑色は、私が長年見てきたアラビア湾を空から眺めた時に見た色によく似ている。

そう思いながら渦潮を妻と見ているうちに、忘れかかっていた光景がまざまざと脳裏に浮かんできた。

くしくも今日は三月八日、決して忘れることのできない日だ。私の心は、いつしか最終交渉に向けてＱＡに出発した「あの日」に戻っていった。

最後になってしまったが、この本の出版に当たり、編集プロダクションを紹介してくれた高校時代からの友人の普和君、編集と本の書き方を教わった小田豊二様に感謝申し上げます。

十年近い単身赴任期間も含め三十五年に亘り中東と関わることができたのは、妻と娘の支えがあってのことでした。その妻に勧められたことが、この本を書くきっかけとなりました、心よりお礼し、労いたいと思います。

中村公也

# 参考文献

「トコトンやさしい石油の本　第2版」　トコトン石油プロジェクトチーム著（日刊工業新聞社）
「石油の世紀　支配者の興亡」　ダニエル・ヤーギン著日高義樹・持田直武共訳（日本放送出版協会）
「世界石油戦争　燃えあがる歴史のパイプライン」　広瀬　隆著（ＮＨＫ出版）
「石油便覧　２０００年版」　日石三菱株式会社（株式会社燃料油脂新聞社）
「田中清玄自伝」　田中清玄・大須賀瑞夫著（ちくま書房）
「中東現代史」　藤村　信著（岩波書店）
「中東　迷走の百年史」　宮田　律著（新潮社）

著者プロフィール

**中村 公也**（なかむら きみや）

1956年に石川県金沢市に生まれる。金沢大学附属中学校。石川県立金沢泉丘高校卒業。学習院大学経済学部経営学科卒業。1979年昭和電機工業株式会社入社、シンガポール現地法人初代駐在員として事務所設立。1983年合同石油開発株式会社入社、総務部、企画業務部勤務。総務部で人事労務を担当。企画業務部で経営方針の立案、官庁と株主との調整業務及び原油販売を担当する。
同年在アラブ首長国連邦アブダビ、ブンドク社に出向勤務（三度）洋上施設建設時の総務担当、総務全般業務と規則と手順書作成、政府監査対応、株主と監督官庁との調整業務、取締役会・入札委員会等の会議秘書役。カタール王族と交友関係を持ちアブダビとカタールの石油行政に広い人脈を持つ。アブダビとカタールの文化、風習に造詣が深い。現在は、カタールに進出する企業に対するコンサルタント業務に携わっている。

リンケージ 外交戦術
アラビア湾の架け橋となった日本人

2020年1月18日　初版第1刷発行

著　者　中村 公也
発行者　池田 雅行
発行所　株式会社 ごま書房新社
〒101—0031
東京都千代田区東神田1—5—5
マルキビル7F
TEL 03—3865—8641(代)
FAX 03—3865—8643
カバーデザイン　(株)オセロ 大谷 治之
カバー・絵　中村 由美
D T P　ビーイング 田中敏子
印刷・製本　創栄図書印刷株式会社


ISBN978-4-341-17237-4　C0030